El silencio de las palabras
Mariano Arias

Mariano Arias

El silencio
de las palabras

Finalista del Premio Nadal 1991

Ediciones Destino
Colección
Áncora y Delfín
Volumen 669

© Mariano Arias
© Ediciones Destino, S.A.
Consell de Cent, 425. 08009 Barcelona
Primera edición: febrero 1991
ISBN: 84-233-1992-X
Depósito legal: B. 1.874-1991
Impreso por Limpergraf, S.A.
Carrer del Riu, 17. Ripollet del Vallès (Barcelona)
Impreso en España - Printed in Spain

A mis padres, a Loren, Carlos,
Mary Carmen, a Emma, a J. L. Mediavilla,
con gratitud.

Qui non intelligit, aut taceat, aut discat. *

El avión sobrevoló la ciudad, desde el aire no se distinguían más que edificios brillantes al sol del amanecer, colores luminosos ofrecidos plácidamente, ligeros movimientos de cuerpos sombreados, borrosos... Detalles inapreciables, desplazamientos bruscos e imperceptibles desde la distancia, desde la altura, incontrolables cambios de perspectiva, supuestas personas definidas por sus anónimos andares, formas y figuras caprichosas.

Nada más, la vista no apreciaba nada más, colores delimitados por marcos de sombras y claroscuros, contraluces y silencios. Fue necesario un leve e inesperado movimiento del aparato, un sinuoso vuelo de círculos concéntricos, un descenso suave en un abrir y cerrar de ojos, para percibir un brusco e imprevisto cambio: el aparato descendía, los ojos rozaban a las personas, las seguían en sus alternativos movimientos, se detenían sobre los automóviles,

* Inscripción latina de la cubierta del libro de John Dee, *Monas Hieroglyphica*, publicado en Amberes en 1564.

9

sobre las blancas líneas, divisorias de las manchas policromadas de la llanura, de los campos, de las avenidas, del puerto en cuyo refugio bailaban otras formas amarillas, rojas, azules; entornaban aquellos ventanales, abrían las puertas de las casas, entraban en el amanecer de una ciudad y seguían el rumbo del azaroso despertar en el horizonte. Su rumbo era el del aparato, el de su matemático vuelo, al menos en instantes precisos, roto cuando los ojos planearon sobre otros cuerpos y máquinas, para rozar los prismas de hierro y hormigón reflejándose eternamente sobre sí mismos, buscar el suave roce de la tierra y soportar el peso de su existencia.

El aparato busca esa tierra, un valle de recuerdos, olvidos y secas memorias; y todo aconteció muy deprisa: una aventura sustituyó a otra que se desvaneció con avidez, presa de rencor, añoranza y envidia, de sutil y magnética magia; una mujer aguardaba a la puerta de un automóvil escarlata, envuelta en el viento del Mediterráneo, en el reflejo del azul del mar. Alguien se le acercó al borde de la pista de aterrizaje, hubo un saludo, un momento de quietud y el automóvil emprendió una veloz huida.

La aventura era otra, tal vez inesperada, tal vez no buscada o prevista, en cualquier caso alguien se encontraba por vez primera en otra ciudad, mundo de mundos, desconocido centro de sendas por recorrer, otro modo de estar y sentir, de interpretar la ficción surgida de las entrañas de la mente.

Está en M...

Capítulo 1

Aspiciebam donec throni positi sunt, et antiquus dierum sedit. Vestimentum eius candidum quasi nix, et capilli capitis eius quasi lana munda; thronus eius flamae ignis, rotae eius ignis accensus. Fluvius igneus rapidusque egrediebatur a facie eius; millia millium ministrabant ei, et decies millies centena millia assistebant ei. Iudicium sedit, et libri aperti sunt. (Daniel, 7:9-10).

Según las crónicas, Eduard Verne fue encontrado muerto en los arrabales del puerto de M... al amanecer de un día de 1988. Poco o nada se pudo averiguar acerca de las causas de la tragedia, y las conjeturas más dispares llegaron a agotar durante semanas la imaginación de los articulistas. Tan sólo unas cuar-

11

tillas de su puño y letra fueron halladas en el cuerpo del escritor, las cuales antes que aclarar oscurecieron aún más el caso.

Se conjeturó un posible accidente, se aventuró un ajuste de cuentas, se llegó a implicar a un prestamista pendenciero. Ni la hipótesis del accidente ni el ajuste de cuentas resultaron verosímiles a la vista de la investigación abierta. En cuanto a la historia del prestamista ésta fue considerada vulgar por un sector de la opinión: había nacido al calor de la prensa amarilla y apoyada por sectores poco escrupulosos con la pluma; quién sabe si con el oculto propósito de saldar antiguas polémicas y deudas de honor. Así, al término de unas semanas, el hilo de la crónica fue perdiendo sensible interés periodístico y la noticia, consumida la llama original, recorrió temblorosa durante unos días más las páginas centrales hasta desaparecer de las mentes impresas y olvidarse la noche en la que un hombre recorrió la eternidad de la vida a la luz de una luna fría suspendida en el desierto horizonte.

Nadie llegó a relacionar tan funesto desenlace con su actividad literaria. Aun siendo conocidas en aquellas fechas algunas declaraciones acerca de sus principios como escribiente, nadie sospechó de la existencia de argumentos que hubieran llegado a turbar su ánimo y fueran origen de su tragedia, aunque algún cronista trajera a colación la célebre sentencia latina *non est magnum ingenium sine mixtura dementiae* para describir la personalidad del escritor.

Olvidado el infortunado incidente la vida literaria de Eduard Verne siguió su curso. Sus libros se revalorizaron, se reimprimieron algunas ediciones agotadas, se descubrieron manuscritos inéditos, relatos inconclusos, algunos de los cuales pasaron a engro-

12

sar nuevas ediciones. Incluso la labor literaria del escritor mereció el póstumo galardón del premio de la Academia de Lenguas y Literaturas Europeas, y al cumplirse el primer aniversario de la extraña desaparición el editor anunció el lanzamiento al mercado de un nuevo libro de relatos. La prensa especializada elogió, sin acritud ni vanagloria, la novedad, se revivieron los trágicos acontecimientos, se celebraron actos onomásticos y el libro recorrió los mercados y las manos de aquellos que, considerándole en vida dueño de una inagotable imaginación, seguían fieles a su memoria y tenían la oportunidad de recibir una prueba más de su talento con la pluma.

No fue banal la razón por la cual Giovanni Shutter se decidió a publicar, coincidiendo con el primer aniversario, una crónica de los hechos acaecidos al escritor. Varios factores estuvieron presentes en esa decisión (aparecida en el semanario *Isla Literaria*, revista en la que Eduard Verne publicó algunos de sus relatos más celebrados): por una parte el reconocido prestigio intelectual de Giovanni Shutter, su seriedad; por otra el que su relato eludiera cuidadosa y pulcramente los juicios de valor; más pendiente de alcanzar la fiabilidad que la consecución de un acertijo, aportó la inestimable opinión de quien, en vida del fallecido, había compartido su leal amistad. Este hecho, por sí solo, avalaría ya la importancia y sinceridad de sus palabras, y si a él se le añade la amistad con el editor del extinto escritor, su opinión mereció ser escuchada como un testimonio de excepción, alejado de aquellos otros que, en el mejor de los casos, respondían a intereses cuando menos mezquinos, sino estrictamente injuriosos o cobardes.

«Desentrañar el misterio de los hechos que conduje-

13

ron a la muerte de Eduard Verne —comenzaba el artículo de Shutter— *es una tarea ingrata, difícil y quién sabe si posible. Para quien ha buscado en el recuerdo el largo pensamiento de la vida, sus razones y su justificación, la muerte roza el mito, se tiñe de un color distinto al negro y asume esa condena con ternura y tranquilidad ante ella, no exenta, es cierto, del vértigo que lo desconocido impregna a la vida.*

»Yo fui testigo —continuaba Shutter— *de la muerte de un leal amigo. Un testigo quizá mudo, o simplemente compañero de un viaje para el que no llevaba billete; en cualquier caso fue la casualidad la encargada de señalarme el camino del azar, hace de ello un año, y entregarme la difícil tarea de descifrar aquello que personalmente considero indescifrable.*

»Quién sabe por qué ese día la noche me llevó a visitar el puerto, tal vez para que las sombras de los cuerpos rozaran mis pensamientos y el mar palpitara en mi conciencia. Nunca sabré la verdad de mis motivos, nunca lograré hacer clarear la luna esa noche donde la oscuridad me enfrentó a la verdad de la angustia. A veces es suficiente la lucidez de un relámpago para percibir los motivos de los actos humanos.

»Los hechos acontecieron la noche del 5 de mayo de 1988 en un paseo cotidiano, recorrido centenares de veces, repetido y nuevamente recuperado por la memoria, en eterno retorno al círculo de la cotidianidad. Pero esa noche las espadas surgieron del frío mar y lanzaron su brillo lunar a los ojos de Eduard Verne; no fue un beso lo que recibió ni tan siquiera las dulces y hermosas palabras que él creaba y atesoraba, tampoco el anuncio de un día luminoso, fue su último paseo y las palabras no estuvieron presentes en la despedida. Algo se rompió en su interior y el quejido del cuerpo paralizó la mente cuando las tinieblas invadieron su visión.

14

»*Yo no vi nada, apenas las sombras de un cuerpo caído y figuras negras recortadas sobre el farallón, alejándose hacia el mar, lejos de quien había dejado de pensar. Difusas figuras retrocedían con la rapidez de quien ha profanado el misterio de la vida, de quien ha roto la imagen del mundo reflejada en un cuerpo caído en la tierra. Sus imágenes también se difuminaron en la noche y sólo quedó la de Eduard Verne tendido en el muelle, los ojos abiertos al cielo, la mano extendida y abierta ofrecida a nada. Inerte a mi mirada, la noche descubrió los focos de luz alrededor de nuestras formas. Rocé el cuerpo, la mano sintió escaparse el tiempo de la suya, la llevé al rostro frío y le cerré los ojos. Hubo un quejido, un silencio, mi mano descubrió unos papeles, unas notas manuscritas, luego la nada invadió nuestra distancia. El azar había cumplido su cometido.*

»*Permitidme* —proseguía Giovanni Shutter— *que relate los últimos instantes de Eduard Verne.*

»*Poco antes, siguiendo su habitual recorrido, Eduard había llegado a la entrada de la dársena. El Faro de Punta Daga lanzaba sus destellos a la noche del mar. Eduard detuvo sus pasos en el recodo de entrada y se apoyó en el muro de atraque. Desde mi posición los repetidos movimientos de su cabeza me hicieron revivir otros repetidos escenarios, y un profundo malestar recorrió el cuerpo. Percibí extrañas sensaciones, acontecidas tal vez por la amistad que me unía con Eduard, lo cual facilitaba interpretar ciertas actitudes, aunque desde mi posición no advertí ninguna alteración especial en su conducta, ningún movimiento forzado o brusco, o yo no llegué a descubrirlos.*

»*Al poco tiempo, breves segundos en un espacio infinito, su cuerpo desapareció de mi visión, se ocultó (creo recordar ahora cuando escribo este relato de los hechos) detrás del muro, o tal vez se arrodilló, se incli-*

15

nó en una postura presumiblemente cómoda que le permitiera escribir.

»Entonces mi mente se aceleró con rapidez —continuaba Shutter—, intentaba discriminar múltiples hipótesis, llegar a conclusiones tangibles, firmes. Recordé algunas de las ocasiones en las que Eduard comentó sus incursiones por ese paraje u otros parecidos: "Recibo impresiones insólitas —decía—, me produce una ingravidez especial, un desgarrón interior, una lucidez firme, absoluta, sin fisuras, sombras o velos enturbiando la voluntad. Y un grato y dulce canto despierta los sentidos y relaja el dominio sobre el mundo. Es entonces cuando las palabras se ofrecen plácidamente ante la visión; serenas, brillantes, iluminan con su música el espíritu y el cuerpo, y resplandecientes y livianas se ofrecen en el silencio de la noche, oscuro soporte de la realidad de los sentidos y las pasiones".

»Mentiría si escribiera que llegué a observar esa luz cegadora referida por el amigo, no obstante creo en sus palabras tanto como en mi presencia física ante él en esa noche, hace ya un año, como creo en esas notas musicales, trompetas bíblicas que él decía escuchar, apocalipsis de su visión nocturna.

»Fue un éxtasis, una situación única. Y no fue la excelencia del lugar la única que acaparó mis sentidos; tal vez fue mi extraña percepción de las razones de Eduard la que me llevó a creer firmemente en su vivencia. Conocía esa lucidez envolvente por doquier y expresada en su frenético palpitar. Y conocía el final, esperado fría y dulcemente, anhelado por encima de cualquier acontecimiento mundano, ansiado desde su visión, desde su emocionado deseo de revelación de las palabras, de revelación, a la postre, de lo que llegaría a significar la muerte.

»Cuando se ocultó la luna y el brillo de las piedras

desapareció, mi cuerpo intentó alejarse, seguir los pasos marcados en la senda imaginaria de la luna, mas la mente no se apartaba del nuevo tiempo de Eduard y mis manos escudriñaron ese cuerpo inerte, esos ojos, esas manos, esa boca, cosas formando una existencia para nada, tan sólo para el recuerdo, un cuerpo ajeno a su control, soporte de unas palabras muertas y sepultadas para siempre, rotas cuando estaban a punto de nacer.

»¿Quién podría describir esa noche, esa fracción de tiempo engarzada en una conciencia desgarrada, cuando mi voz se quebró en el puerto, cuando la vista perdida en sus ojos soportó el pesado odio a la vida?

»Alguien, al final de un tiempo eterno, se llevó el cuerpo. Yo ya no estuve presente. Creo que hubo mucha gente, y que algún taciturno y soñoliento juez levantó el cadáver, ya de madrugada, mientras guardias buscaban en el dédalo de callejas portuarias, a la luz de linternas, la huella perdida de anónimos asesinos.

»Creo haberme dirigido hacia la dársena para sentir el frío en los ojos y en el corazón, arrastrándome lejos del mar, a la búsqueda de sombras ocultas tras falsas figuras que nunca llegué a encontrar, a la búsqueda de una verdad desconocida, de una palabra inencontrable.

»Sólo Dios sabe las razones por las cuales me negué a dar publicidad a las últimas palabras de Eduard Verne. El texto hallado en su abrigo fue leído a las pocas horas, ya en mi cuarto, y cuando mis manos sostuvieron temblorosas sus palabras, la emoción me embargó y hundió mi cuerpo en un sopor sin horizonte; luego, lo destruí.»

El artículo finalizaba de ese modo. Ocupaba las primeras páginas de la revista a tres columnas, dejando un espacio amplio a la izquierda ocupado por una fotografía de Eduard Verne trabajando en su estudio.

En páginas interiores otros trabajos realzaban diversos valores intelectuales y artísticos de la personalidad del afamado escritor. Algunos referían su labor como crítico, o aspectos desconocidos de su plural personalidad; otros, los que ocupaban las últimas páginas de la revista, se dedicaban a reseñar artículos publicados en vida del escritor destacando aquellos de difícil o imposible recuperación. Por último, la revista publicaba un estudio bibliográfico firmado por un grupo de discípulos actualizando la labor intelectual de su maestro.

Capítulo 2

Después de haber marchado
siete días a través de boscajes, el
que va a Bauci no consigue ver-
la y ha llegado.

ITALO CALVINO, *Las ciudades invisibles*

Alexander Denia leyó por enésima vez el artículo
de Shutter, levantó la vista y un recuerdo a noche
fresca de verano invadió la conciencia. Guardó el
periódico en la chaqueta y se apoyó en la baranda de
piedra. Dejó que sus ojos navegasen sobre las olas
del mar. Un velero rojo se acercaba por el horizonte
bañado en azul espuma. «Viene de Túnez», anunció
una voz ronca de mujer. El velero levantó la cabeza.
Alexander dirigió la vista al horizonte y persiguió al
velero hasta que entró en la dársena. Cuando dejó la
Isla de los Muertos a la izquierda y se dirigió hacia él
el brillo de la proa le encandiló y el velero desapareció, dejando atrás la imagen del Mediterráneo en-

19

vuelta en retazos de velas y naves lentamente extinguidas en la mente.

Cuando de nuevo abrió los ojos el velero ya se había hundido en el pasado, en la memoria de una historia repetida con anterioridad por otros hombres, modelo quizá también repetido por él en otro tiempo, en otro lugar, en esa mar ofrecida con dulzura donde formas, colores y figuras creaban una perspectiva nueva, recuerdo de lejanas visiones de otras tierras, de otros mares, imágenes enviadas intermitentemente por la memoria, y cuando los ojos despertaron del letargo y el azul invadió vigoroso la retina, la mar y el velero seguían ahí, en su voluble impasibilidad, a merced de un capricho natural y desconocido, de una lógica infranqueable; mar en el horizonte, mar en los ojos azules de María, mar en el pensamiento, mar sobre la sombra imaginaria del cuerpo caído de Eduard, mar sobre el azul celeste y sobre el velero cargado de añoranzas y recuerdos... mar en la cabeza de la mujer y en el niño encaprichado de su movimiento, mar zumbando magnéticamente en los oídos cual campanas invadiendo de repiques los rincones de la conciencia, anunciando la vuelta de un recuerdo acariciado como una ola, mar en la sonrisa de Alexander y en la mujer deseada y lejana, mar en la palabra vertida en el agujero de la mente, mar sobre mar, mar sobre sí mismo navegando sobre las palabras nunca pronunciadas, nunca halladas ni imaginadas, mar sobre la fiebre del cuerpo enfermo de letargo e inconsciencia... mar sin nombre en la garganta, mar de imagen inagotable, seductor, incapaz de agotar su atracción, su imán, su visión bajo la eterna luz del sol.

Mar, mar, mar, palabra desplegada y abierta al mundo. Desde ese mar eterno, tranquilo, ágil, puente en la historia de su vida, Alexander decidió escribir el largo recuerdo de sus días en M...

Aunque ya había decidido escribir cuando la borrosa mancha del velero rojo se divisó en el horizonte. «De algún modo, pensó, escribiré sobre Eduard Verne.» Y a partir de ese momento su mente fue cercando y discriminando palabras, separando argumentos, apurando hechos lógicos, sucesos, escritos segregados por la memoria desde el volcán de la conciencia.

También su mente era un volcán, un hervidero de imágenes cuando intentaba descifrar los significados, las múltiples conjeturas palpitantes en su cabeza. Y ello desde que cierto día de la semana pasada recibiera la gentil invitación del editor de Eduard Verne, Roger Burton, para participar en el congreso sobre la figura literaria del amigo desaparecido a celebrar en M... Mientras reflexionaba sobre ese momento, fueron entremezclándose anárquicamente recuerdos, escenas y amigos al compás del movimiento del mar, de ese mar agitándose en las sienes y en el corazón que servía de fondo a su lectura del artículo de Shutter.

Pues pensar en Eduard Verne, en su muerte, era reflexionar sobre la disparidad de conjeturas que el caso había levantado: escritos, investigaciones policiales, polémicas sobre sus libros, sobre sus últimas colaboraciones o reuniones, amistades frecuentadas en sus últimos días; también era reflexionar acerca de aquello que se ocultaba detrás de las cosas, en las infinitas trampas colocadas de modo aleatorio, en las múltiples sendas abiertas por un sinnúmero de personas dispersas por incontables ciudades.

Y recapacitó. Extrajo la revista del chaleco y la extendió sobre el muro de la carretera. Al fondo M... aparecía luminoso, brillante e inquieto bajo el cielo azul. Una ligera brisa obligaba a palpitar las hojas de los algarrobos, las casas bajas y blancas corrían ligeras hacia el horizonte al encuentro con el mar. Recapacitó: no acostumbraba a inmiscuirse a fondo en la vida de los demás, tan sólo lo suficiente como para encontrar un motivo de distracción intelectual, de juego con las ideas, y siempre respetando la intimidad del personaje. Con Giovanni había llegado a establecer cierto consenso, cierta beligerancia intelectual a la hora de indagar en la subjetividad humana, y con Eduard acontecía, sin embargo, algo distinto, pues sentía una extraña necesidad, un impulso irrefrenable que le llevaba a romper esa distancia controlada existente entre las personas.

Absorto en esas lucubraciones sus ojos se detuvieron en un párrafo del periódico, leyó la columna detenidamente, por cuarta o quinta vez, no comprendía por qué Giovanni había querido escribir ese artículo, un ágrafo como él, más especulativo y deseoso de exponer sus ideas en un diálogo que de llevarlas al papel.

Un automóvil cruzó veloz la carretera para perderse en la curva y lanzarse a la búsqueda del valle, Alexander levantó la vista y dobló el periódico en dos. Lentamente se dirigió hacia M...

Entretanto su mente iba formando la figura geométrica de una trama. Eran ya las dos de la tarde, había estado más de tres horas en la dársena, con seguridad Giovanni habría regresado del viaje y le esperaría en la casa. Ése era el acuerdo, fácilmente

rompible pues el amigo llegaría tarde, la puntuali-
dad no era precisamente una de sus virtudes más
excelsas. No obstante en este caso él también había
roto ese compromiso: llegaría tarde.

Capítulo 3

> *Si no sabes lo que es la escritura podrás pensar que la dificultad es mínima, pero si quieres una explicación detallada, déjame decirte que el trabajo es duro: nubla la vista, encorva la espalda, aplasta la barriga y las costillas, tortura los riñones y deja todo el cuerpo dolorido (...). Como el marino que vuelve, por fin, al puerto, el copista se alegra cuando llega a la última línea. Deo gratias semper.*
>
> Colofón de *Silos Beatus* (s. XII)

Ya se lo había comentado Roger Burton cuando le confirmó la invitación y los últimos cambios del programa: Giovanni se había recluido en un mundo donde no cabía otra persona: «Monástica, Alexander, monástica, lleva una vida ascética; diría, si no fuera porque le conozco algo, que misógina —decía Burton con enojo—. Sólo la rompe en contadas ocasiones y cuando recibe alguna visita, cosa rara y que para él debe significar un acontecimiento». También le habían informado acerca de la compañera de Giovanni, una polaca de nombre María. Pero Burton no podía contener su crispación: hacía pocas horas que había llegado de M... y aun reprimiendo sus deseos de informar ampliamente a Alexander, se permitió la licencia de advertirle en relación a la aventura que emprendía: «Respeto vuestros sentimientos, no tergiverses mis palabras, la tragedia del amigo le ha afectado incluso más de lo que podamos suponer quienes le tratamos, lo comprendo, pero cuídate de no caer en sus artimañas, Alexander, bueno, qué te voy a decir, tú lo conoces mejor».

En efecto, quien hubiera conocido a Giovanni en su época de estudiante en Humanidades ese tipo de vida le resultaría extraño, aunque no precisamente a Alexander que no ignoraba la existencia de una soterrada lógica en esa actitud y podía sospechar las razones —no en vano había contribuido, por extrañas y enrevesadas relaciones indirectas, a consolidar algunos de los actos del amigo. Aunque en los últimos años no se habían tratado, quedaba entre ellos un hilo de amistad, un soporte de memoria inescrutable, suficiente, pensaba Alexander, para avivar los delicados instantes por los que pasaba el amigo.

—Me alegro de verte, Alex, me alegro —fueron las primeras palabras de Giovanni cuando se encontraron en el apartamento el primer día. Se había detenido en la puerta, emocionado, sonriente, expresando una alegría sincera, inocente—. ¡Alex, Alex, el pequeño de la tropa!

Giovanni Shutter. Un rostro enjuto, carcomido por los años, de leves arrugas, frente ancha y mirada noble, el cigarrillo rubio girando perpetuo en los dedos al compás de las palabras, del torrente de palabras, ese silencio calculado y espontáneo, esa voz ronca, sugestiva, atractiva, seductora...; ese rostro, piensa Alexander mientras se funden en un abrazo, ese rostro no se ha alterado.

—Me alegro de tu visita —sus ojos brillaron—, me alegro. Ya verás, ya verás, M... será una novedad para ti, para tu inquieto y aventurero espíritu.

Giovanni Shutter. Se conocían desde el setenta y dos y desde entonces la historia personal de cada uno había ido enlazándose hasta no entenderse una sin la otra. Capricho del azar o del destino, vidas paralelas o distancias divergentes, Giovanni ocupaba un lugar privilegiado en la macrohistoria de Alexander, tanto como Alexander en la de Giovanni. Y no podía decirse lo mismo respecto al resto de los componentes del grupo originario nacido de la Universidad de Ur, del cual tan sólo quedaban cuatro: Giovanni, Bernardo, Marion y Alexander —sin hablar de Beatriz que se integraría más tarde aunque las desavenencias entre ella y Giovanni impedirían su total integración en el grupo.

Hacía unos siete años que no se veían, precisamente desde lo de Beatriz, desde su ruptura con Giovanni, y desde entonces sus destinos siguieron caminos bien distintos, o para emplear el lenguaje de Giovanni: sendas divergentes con una raíz común; lo de raíz adquiría un significado preciso: reducir la diferencia, atenuar la explosiva voracidad de la fosa que él imponía, por otra parte, a la disparidad de criterios.

En el caso de los otros componentes, Bernardo y Marion, esa distancia se fue agrandando hasta llegar a desaparecer de la vida de Giovanni, incluso de la de Alexander. «¿Qué fue de Bernardo? ¿Y de Marion? ¡Hace tiempo que no recibo noticias de ellos!», protestó Alexander. Giovanni guardó silencio. «Ya te comentaré, ya hablaremos», respondió escuetamente.

Pero no llegaron a hablar de ellos, e incluso la insistencia de Alexander en alguna ocasión llegó a herir —puerilmente a ojos de Alexander— a Giovanni. Y el amigo terminó por establecer una conclusión personal: alguna disputa o controversia había acontecido para que el comportamiento de Giovanni fuera tan huidizo ante sus preguntas. Es más, a medida que fueron pasando los días, y en las pocas ocasiones en las que conversaban, Giovanni rehuía siempre hablar o referirse directamente al pasado común, haciéndolo extensivo al resto de los amigos conocidos por Alexander.

Sin embargo, durante los primeros días de estancia en M... Alexander tuvo la impresión de reencontrarse con el mismo personaje inquieto, individualista y provocador, de regresar al pasado aunque éste estuviera recubierto de otros ropajes. Pero con Giovanni siempre se estaba expuesto a involucrarse en conflictos de imprevistos resultados.

Al observarlo en su escondite de M... en un pueblo lejano, alejado de la urbe, en un paraje donde la distancia y el tiempo se habían detenido, o al menos atenuado, su nerviosismo aumentó y Alexander consideró prudente mantener en guardia tanto los pensamientos como los sentimientos, pues en su actitud encontró un pequeño y leve brote de teatro, de impostura, frente al pasado.

Y cuando introdujo por primera vez la llave en el portón de la casa, flanqueado por un arco de herradura árabe, reconoció el cambio experimentado por el amigo. Giovanni mantenía una relación abierta con las cosas, las necesitaba, incluso creía en su existencia consciente cuando se las apreciaba y se les reconocía esa necesidad. De ahí el asombro de Alexander cuando encontró el cuarto del amigo triste dentro de un espacio amplio y blanco; oscuro aun lleno de luz, paradójicamente. Ni siquiera los anaqueles de madera que escalaban ágiles hacia el techo buscando los últimos y empolvados libros lograban realzar el cuarto de trabajo.

Cierto desorden no le extrañó: Giovanni concedía más importancia a la actividad mental, al discurso intelectual antes que al decorativo o ambiental, sin embargo su amor y creencia en la necesidad de encontrar en las cosas un punto de confluencia y dominio armónico con ellas contrastaba con la dejadez de las pertenencias que rodeaban el centro de su misterio, la mesa de estudio: un sillón raído estilo Luis XV en la esquina, una mesa de trabajo austera de estructura metálica con ornamentos oxidados y borrosos, una alfombra parda, un arcón simulando madera maciza de castaño, cuatro módulos dispuestos simétricamente en el flanco izquierdo, un armario de diseño al fondo, una luna cubierta de postales encajadas en las ranuras... En fin, pocos adornos, pensó para sí Alexander, y recordó la residencia de estudiantes de Ur, donde los dos habían compartido sus felices años de estudio, y estableció una sustancial diferencia. Por otra parte, pensó en esos momentos, Giovanni encontraba en los recuerdos una prolongación de su persona, una afirmación de su ser. Salvo la mesa de estudio, de trabajo, donde los libros parecían descansar de un esfuerzo ímprobo y sobrehumano, el resto parecía no tener vida ni importancia alguna para quien los había necesitado; servían, habían sido útiles, eso es todo, tenían existencia, inerte si se quiere, pero ya no participaban de la memoria de quien de algún modo creía en ellos.

Alexander se imaginó a Giovanni buceando entre esos libros, sueños y fantasías; ambos habían sentido hacia ellos, en un tiempo lejano, una devoción mezcla de racional necesidad y mágica atracción; los libros, cosas que hablaban de un mundo distinto y nuevo. Un escalofrío recorrió el cuerpo: quien conoce a una persona conoce también sus proyectos, su particular modo de estar y sentir la vida: si es amigo descubre en sus tics y fobias la subjetividad de aquel que confía en él. Y Giovanni, la totalidad de su ser, se encontraba en aquella estancia, recordó entonces al amigo de los primeros años de amistad, pero también a quien solicitó su ayuda cuando creía estar perdido en una de las encrucijadas de la existencia.

Se acomodó en el sillón. Por el ventanal podía distinguir el seco cauce del río, la carretera cortando la árida estepa, el muelle, recogido entre los acantilados, juguete de las olas en la pleamar, blanco del sol al amanecer, mudo en los últimos instantes de Eduard Verne... Alexander desvió la vista, entornó las contraventanas, Giovanni no tardaría en llegar, su sola presencia disiparía sus pensamientos, amortiguaría sus dudas, reafirmaría su confianza.

Se encontraba cansado, pero alegre al mismo tiempo. Cansado, es cierto, de sol y de mar, de la larga caminata, aunque alegre por haber hallado al fin, en esa luminosa mañana, un nuevo proyecto rabiosamente buscado en las entrañas de jornadas de disipación y abulia.

Y confiaba de ese modo encontrar al fin en las palabras una nueva búsqueda. Por supuesto llena de incógnitas y certidumbres, pero también de signos que hablarían de la confianza de un hombre en la amistad de quien le había reservado un lugar en la memoria de la vida.

Escribir, escribir, pensó abstraído en los anaqueles llenos de libros deshojados por el uso. Escribir, sí, para reflejar el entorno, la locura tal vez, que era la suya propia, para reivindicar una vez más, como otros lo hicieran ya, a Narciso, escribir para besar la inmortalidad, la gloria de vivir frente a la muerte.

Sólo que en este caso se trataba de Eduard Verne, un escritor al que él, Alexander, desconocía y cuyas probabilidades de escribir sobre él se reducían por ahora a la intuición de encontrar la aventura en sus pasos silenciosos y oscuros.

Además, reflexionó Alexander cerrando los ojos, ¿qué sabía de él? Poca cosa, alguna referencia en el diccionario de autoridades, algunas pobres antologías, ignorantes de la importancia de sus últimos libros, los más trabajados, los más inquietos, tal vez los que mejor reflejaban su personalidad literaria. Y en los últimos tiempos, desde hacía un año, las loas y los actos en su honor tan sólo le habían beneficiado como persona, no como literato. En efecto, era un desconocido por ser tan conocido: ironías de la vida. «¡Besar la inmortalidad!, pensó Alexander. ¡Qué frase tan bella! ¡Y había sido escrita por Eduard Verne!».

Se acercó a la estantería donde Giovanni guardaba en orden cronológico los libros del amigo, entre fichas aprisionadas por las páginas, celosamente apoyados entre ellos, como necesitados de ayuda o compañía, de una aprobadora mirada de su inerte vida. Sin embargo convivían en una extraña armonía al lado de gruesos y enormes diccionarios, enciclopedias, ballenatos de la literatura vigilantes de la precaria existencia de sus vecinos, los diminutos libritos de bolsillo; pero así subsistían y Alexander extrajo del estante el libro clásico de Eduard, *El Viaje en una pluma*, publicado poco antes de su trágica muerte, extraña muestra de las inquietudes de su autor, heterodoxo y fantástico muestrario de vivencias artísticas y literarias, compendio del ideario de un literato.

El libro cruje en los dedos, tiene vida, o ella se desprende de sus páginas, presenta y ofrece inocentemente sus deseos; mediante palabras, por supuesto, despertando de un silencio provocado por su oscura existencia tras los anaqueles empolvados que dormitan voluptuosamente junto a figuras y objetos, recuerdos ajenos a ellos, en ocasiones cercanos al roce y las intrigas.

¡Qué agradable le resultaba a Alexander reencontrarse con las palabras allí donde fueran creadas, concebidas, entre los árboles y las casas, entre el mar y los caminos de M... donde Eduard Verne al encontrar la inspiración halló al final el hilo de Ariadna, la clave de su laberinto! Y en las largas y serenas noches, entre los silencios y murmullos de la conciencia, seguro que alcanzó y no sólo rozó, un nuevo mundo de imágenes, maravilloso y encantador.

Él podía entrever, mientras sus ojos descansaban en las páginas, las circunstancias de su gestación, las enmiendas y vicisitudes, imaginarias por supuesto, aunque reales, las correcciones y superposiciones, los sueños y las imágenes entrevistos por Verne y que no quiso o no pudo traducir a palabras...

Sueña Alexander en Eduard, y entretanto Eduard habla en el libro; sueña y se adormece Alexander al atardecer del Mediterráneo... Sueña el hombre en la oscuridad y el libro descansa en las manos donde las inconscientes páginas cobran movimiento con la inercia del viento. Al final dejan de pertenecer a Alexander y a Eduard y sus palabras no se dirigen a nadie:

Pasarán los años, el tiempo romperá las figuras diseñadas en la imaginación, sus segmentos saltarán hechos añicos, los puntos se disolverán en diminutos e irreconocibles modelos y tan sólo quedará un nombre, un vacío, una nada en la conciencia, que poco a poco se difuminará en el tiempo; o quizás entre en otro orden, en otra estructura, en otros códigos cuyas figuras desconocemos y donde un espacio rompa con el anterior...

Una página desplaza a otra y descubre nuevas palabras:

...la pluma vacila cuando escribe las últimas líneas; los hombres sienten el cansancio... Han sonado las campanadas de medianoche y la fatiga huye del cuerpo. Algún perro ladra en los arrabales, se distinguen pálidas luces parpadeando en los rincones, gotas de agua simulando el paso del tiempo, figuras definiendo relaciones...

El libro sigue hablando, impelido por un rabioso deseo, casi humano, más allá de la ensoñación y el viento:

...cuando se pierde el mundo de la inocencia las palabras ganan en significado. Puede suceder que adquieran de ese modo su sentido más preciso, más fuerte y de ese modo el tiempo pueda atesorar en el arcón del silencio la verdad de las palabras desgranadas durante horas y días sobre el imantado papel. Si eso sucede la pluma tan sólo tendrá el deseo de caminar sobre el abismo, deslizarse con firmeza hasta llegar al centro mágico de la figura creada por las palabras...

Un golpe de viento deslizó la página hacia el encuentro con las otras, la siguieron varias; luego, en alegre y rápido abanico, todas temblaron un instante y el libro se cerró con un golpe seco.

Capítulo 4

Para llegar al punto que
no conoces, debes tomar el
camino que no conoces.

San Juan de la Cruz

Alexander conocía los peligros de la mente ante ciertas presiones, sabía cómo controlarla cuando la imaginación —en un impulso frenético, inconsciente e independiente de la voluntad— se lanzaba sin control desbordando los límites de su capacidad. Lo sabía, aunque a menudo caía en el vicio —Giovanni se lo advirtió en alguna ocasión—, antiguo e indomable, de llenar su cerebro de especulaciones, ensoñaciones y demás fantasías.

Y en el libro de Eduard había encontrado, desde su primera lectura, ideas sugestivas fáciles de encuadrarse en esos límites, ideas objeto del espíritu roedor e inquisidor, que al intentar relacionarlas con el artículo de Shutter adquirían otra perspecti-

34

va, otro modo de entenderlas muy distinto al de la primera lectura. Le apremiaba alcanzar conclusiones, es cierto, el artículo había dejado cabos sueltos, un cierto regusto de incomprensión fácil de detectar para quien, como él, acostumbrado a navegar entre ideas, distinguía las ambiguas de las paradójicas tanto como las falsas de las verdaderas. Además, había una ficción subyacente a la escritura para la cual no había encontrado explicación convincente.

Algo o alguien rozó su hombro, y en millones de segundos no asimilables matemáticamente, recordó las palabras más queridas del libro de Eduard. Y como vasos comunicantes fueron acelerando los demonios personales más íntimos para renovar su cerebro de material incontrolable.

Escuchó una voz suave y lejana, un susurro amortiguado por ecos e imágenes tal vez soñadas, tal vez reales, entre prolongados silencios, como si un mandato sinfónico imperioso, acuciante, las azuzase a combatir desesperadamente.

Era la de María con sus enormes ojos que a Alexander le parecieron perdidos indefinidamente en las profundidades del cuarto de su conciencia.

«María, María», repitió mentalmente cuando la muchacha desapareció por el pasillo del fondo. Se habían visto pocas veces, un par de ocasiones, suficientes para que se estableciera entre ellos cierta complicidad, cierto entendimiento espontáneo no traducible en ningún signo externo, ostensible, evidente, pero explícito desde luego. Aunque tampoco habían tenido una conversación hilvanada que les hubiera permitido conocerse, María le había dirigido una mirada y Alexander la había considerado especial, anuncio de una singular relación. Pero hasta el tercer o cuarto día de su llegada a M... tan sólo se habían saludado: habían existido gestos superfluos, habituales, cotidianos, miradas corteses; todo muy convencional; nada más, fugaces señales propiciadas desde la primera mirada que Alexander recogió mientras Giovanni los presentaba entre carpetas, ficheros, libros mohosos y archivadores rodeando a una amarillenta y gastada máquina de escribir.

Ese primer encuentro aconteció, en efecto, pero de modo apresurado y con alguna que otra ocurrencia extemporánea de Giovanni, habitual por lo demás. Y María le dejó la impresión —piensa Alexander mientras la muchacha con afectada e intencionada ceremonia le invita a cenar— de una recién licenciada preparándose aplicadamente para pasar la prueba de doctorado, aunque la fugaz entrevista no le permitió entonces extraer conclusión definitiva alguna, aparte de ese primerizo interés, pues ella se disculpó cortésmente para desaparecer tras la hilera de firmes y ordenados estantes que Alexander consideró muros de una inexpugnable fortaleza.

Se reencontraron al día siguiente, o a los dos días —no lo recuerda con exactitud—, en cualquier caso fue la noche en la que Giovanni reunió al equipo para planificar los últimos detalles del Congreso y distribuir tareas. Allí se sorprendió del cargo de secretaria encomendado a la muchacha. Pero también descubrió su mirada, su voz, ese profundo sonido de una conciencia desgarrada por el tiempo y el pasado, la incognoscible madurez de quien ha vivido el prematuro dolor de la angustia.

Y se propuso conocerla, descubrir la huella dejada por esa desconocida herida, sin cicatrizar, pensó entonces, viva, mostrada sin pudor. ¿Dónde había observado esa mirada? María, María.

«¿Habías dicho que se apellidaba...?», preguntó Alexander al amigo. «Ikonovick, María Ikonovick», respondió Giovanni. «Un apellido polaco, replicó Alexander sonriente, ¿me equivoco?»

¿Qué historia le relató aquella noche, única en la que habían retado al destino para enfrentarse a sus propios deseos? Alexander observa las idas y venidas de María y recuerda la primera impresión producida por la presencia de la mujer, cuando como un velero navegando sobre crestas de olas su voz se dirigió hacia él y embelesado, encantado, la recogió como un divino regalo. Al escuchar su palabra, anuncio de otras conversaciones, se rebeló contra la literatura, contra la historia, que era la suya, y que habían ignorado el destino de sus vidas. Al final, Alexander cayó en la cárcel de su voz, de su mirada, canto de sirenas, inmortales sonidos trágicos y arrebatadores como coros bíblicos anunciando el exilio del mundo.

—Y entonces —Alexander se dirige hacia ella en irreflexivo arrebato— recordé esos versos, que dicen: «¡Oh, destino, frágil, paradójico y sinuoso!», y me hablaste de Italia, de Verdi, de valles, de sueños, palabras y leyendas surcadas por la historia, esa fugaz sucesión de trampas envueltas en el tiempo, y de música..., y caí, oh, créeme, en imaginarios brazos, dichoso del encuentro... Disculpa la pedantería, no quiero parecer cursi...

María le sonríe.

—Prosigue —dice sin disimular su encantamiento.

—Y la distancia y el tiempo se hicieron tan débiles que dejaron de existir, y sin saberlo me encaminé, dócil e implacable, como un Ulises del siglo XX hacia el laberinto de tus palabras, hacia el mundo desconocido aunque entrevisto, sin embargo, sabe Dios en qué lugar del pasado, del tiempo de tu mirada.

María guardó silencio, rozó con su mano, tímida e inquieta, la de Alexander, para levantarse, retirar los platos e invitarle a una copa. Alexander aceptó y sonriente encendió un cigarrillo.

María entonces informó del aplazamiento en el regreso de Giovanni: unos problemas en el consulado holandés le obligaban a retrasar la vuelta. «Una contrariedad», exclamó furiosa la muchacha, «el Congreso se celebra dentro de una semana».

Y no sabe cómo, de repente, mientras brindaban a la noche de M... y recordaban la casualidad del encuentro, el azar que había dispuesto los recovecos de sus caminos, mediando la invitación de Burton, esa cena fría a la espera de un nuevo día, no sabe cómo se encontró relatando su paseo por el puerto, por la playa, su lectura del artículo de *Isla Literaria,* el paseo por la carretera, la fulminante decisión de escribir sobre la muerte de Eduard Verne, de desentrañar literariamente el oculto misterio entrevisto en la superficie del artículo.

—Conoces los detalles de la tragedia —le dijo María—, ¿por qué entonces rebuscar en las entrañas del pasado? ¿No has hablado de ello con Giovanni?

—No lo sé —respondió cautamente Alexander—. He venido aquí como invitado, con una disposición a medio camino entre unas vacaciones y una actividad propia de mi trabajo. En verdad —duda un instante—, en verdad pienso que el caso Verne ha sido ventajosamente aprovechado por la prensa, y he reencontrado en él cierto interés, ¿cómo diría?, subyugante, atractivo, misterioso, ¿no? Desde luego créeme si te digo que asumo la inconsciencia de esa decisión, incluso estoy dispuesto a admitir la fragilidad de los argumentos sobre los que reposa.

María no replicó, y Alexander no entendió el silencio como un asentimicnto. Sólo al cabo de un tiempo, con molesta y extraña seriedad añadió:

—Observo tu desconocimiento de las interioridades del caso. Pero bueno, ya irás descubriéndolas, me imagino que Giovanni te pondrá al corriente.

—¿Qué quieres decir?

—Conoces a Giovanni, sois amigos, mi opinión es que no le encantará la idea.

El rostro de María se había alterado. Alexander se acercó al ventanal, lugar estratégico para contemplar la noche de M... y pensó en Giovanni, pero también en Eduard Verne, en la fragilidad de su cuerpo, en la solidez de sus ideas. No lo había conocido, aunque podía imaginarse los vericuetos de sus rasgos difuminados detrás de la descripción de quienes le habían tratado.

Alexander no quiso replicar cuando la muchacha se interesó por la relación entre él y Giovanni. En verdad, sus pensamientos estaban en otro lugar y tampoco deseaba desnudar su corazón hablando de su amigo y cómo su compañía llegaba a resultarle insoportable en más de una ocasión. Desde luego la decisión de alargar la estancia en Amsterdam importunaba seriamente la planificación acordada. Como no deseaba enmascarar sus sentimientos, consideraba conveniente advertirle la disparidad de criterios. Por otra parte, su meditada decisión apenas podía conculcar algún derecho establecido: si Giovanni se contrariaba, Alexander no deseaba establecer más pauta de conducta que la que tuviera como principio y fin la investigación de la vida de Eduard por más que ello importunara a su anfitrión. Acrecentado su interés, tan sólo inquietado por leves altibajos, consideró oportuno someter al juicio de la muchacha una posible entrevista con el bibliotecario. Le enseñó la agenda donde llevaba anotados algunos nombres.

—¿Y qué dudas puedo aclarar?

María adoptó una disposición interesada, y señaló:

—Hay varios encargados, ¿te refieres acaso a Mario Sebastián...?

—Mario, Mario... —repite Alexander—. ¿Lo conocéis acaso?

—¿Y quién no? Es el bibliotecario de Al-Jahbah. ¿Crees que existe alguien en M... que no haya oído hablar de Mario?

—Ya... ahora recuerdo...

—Puede que no hayan leído un libro en su vida, pero a quien se encarga de coleccionarlos... Otra cosa distinta sería Leonardo...

—Leonardo...

—Un adusto archivero al servicio de Mario, no es necesario que te lo presente, no merece la pena. Mario, sí, conviene que hables con él, te puede informar de Eduard, lo trató mientras estuvo en la ciudad.

—¿Conocías a Eduard? —pregunta Alexander encendiendo un cigarrillo y ofreciéndole otro a María.

—No es eso, Alexander, no, yo no lo conocía. Giovanni era su único amigo, al menos en M... A veces bajaba de su torre de marfil, tres calles más arriba de ésta, cerca del castillo, y venía aquí, a hablar con Giovanni. Se pasaban las noches hablando y hablando hasta que alguno de los dos miraba la hora, cuando consideraban que era tarde decidían irse a dormir. Eso sucedía un par de veces a la semana, más o menos. En alguna ocasión llegaron a invitarme, pocas desde luego. Yo accedía encantada: su conversación tenía un interés muy especial para ellos, no era que me ignorasen, por Dios, estoy convencida de que Eduard me estimaba, al menos tanto como yo a él, pero sí que eran muy especiales cuando estaban juntos, había cierto entendimiento subterráneo entre ellos difícil de entender. Aunque en verdad yo asistía poco a sus reuniones y cuando lo hacía apenas intervenía.

—Comprendo.

—No me interpretes mal —María hace una pausa, levanta la vista y sonríe forzadamente—. No creas que intento obstaculizar tu interés hacia Eduard, pero está reciente su muerte y sospecho que deseas escribir algo más que un ensayo literario...

—¿Y por qué piensas eso?

—Porque Giovanni me habló de ti en alguna ocasión y de tu biografía sobre Montgu. ¿Te sirvo otra copa?

Alexander recuerda a Montgu, pero también se imagina a Giovanni y Eduard entablando una tertulia literaria mordaz a las que Giovanni era proclive a caer en cuanto el whisky hacía sus efectos. Y puede escenificar el triángulo formado en ese mismo salón hace un año: no se imagina a María recostada en el sillón contemplando a dos personajes enfrentados intelectualmente e intentando convencerse de los argumentos del otro mientras María observa las acrobacias del Giovanni filósofo. Tampoco se imagina, por supuesto, cómo alguien tan poco dado a las confesiones íntimas como su amigo pudo entablar amistad con un personaje como Eduard Verne, aunque las referencias que tiene sobre él no le permitan formarse una idea cabal de su personalidad.

Montgu. Es cierto, Alberto de Montgu, el personaje del siglo XVII, predilecto de Giovanni en sus años universitarios, que había ocupado las preferencias de los dos amigos. Giovanni siempre que tenía ocasión alababa el estudio de Alexander sobre el filósofo.

—Mi tesis de doctorado —señala Alexander sin mirar directamente a María, buscando una concentración lejos de los azules ojos de la muchacha— trató sobre Montgu, un judío holandés filósofo muy conocido también por Giovanni, y para ser justos, habría que decir que lo estudiamos conjuntamente.

Alexander se retira de la ventana, esboza una sonrisa de nostalgia y se sirve hielo.

—Pero con Eduard Verne presiento que todo será muy distinto —añade Alexander observando la atención de la muchacha—, aunque en verdad la experiencia siempre es de gran utilidad. Permíteme que me exprese de modo preciso: hasta ahora las biografías de personajes del estilo de Verne tan sólo esbozan su vida literaria o científica, o cualquier otra, según la dedicación del biografiado. Sin embargo no emplean un método riguroso que permita estudiar la subjetividad del individuo en relación directa con la sociedad, y viceversa desde luego, donde se analicen las múltiples implicaciones del adulto con la infancia y los proyectos, o los mil hechos anodinos condicionantes de su persona, que sirven para explicar la decisión, pongamos por ejemplo, de escribir. Es un mundo el que entra en un libro —señala con firmeza Alexander—, ¿sabes?, como es una vida la que entra en las palabras que él escribió.

—Eduard empezó a publicar tarde, ¿no?...

—Pero su decisión, la de escribir, fue anterior —observó con seguridad Alexander—; ése es el hecho a investigar, pues ahí es donde está el *quid*, ¿comprendes?

—¿Cómo llamáis a ese trabajo? —María adopta una burlona actitud pensativa—. Ya está: trabajo de campo. O mejor, ratón de biblioteca, ¿te gusta?, vaya palabreja, habría que desterrarla. En cualquier caso es un trabajo de investigación, queda mejor denominarlo así, ¿no te parece? También la policía utiliza esa expresión: investigación...

—La diferencia estriba en el fin propuesto —Alexander, molesto, responde secamente.

—¡Por supuesto! ¿Y se puede saber cuál es ese fin? Dicho de otro modo: ¿qué territorio corresponde a la «investigación» policial y cuál a «tu» investigación, cuáles son los móviles que persigues y cuáles los del crimen?

María se frota los ojos, sonríe con sarcasmo.

—Disculpa, estoy cansada.

—Veamos —señala Alexander—, para empezar queda por averiguar si fue un crimen o un suicidio. La policía ha archivado el caso justamente por falta de pruebas...

—Y tú mediante la investigación psicológica pretendes establecer cuál de ellas es la verdadera, ¿no? Bravo, la historia y la psicología se dan la mano al servicio de la policía.

—No es tan simple como lo pintas.

—Perdona —dice María condescendiente—, no era mi intención herir tus principios. Sencillamente tenía ganas de provocarte. Eso es todo.

—Pues lo has conseguido, te felicito —y añade con pesar—: veo que has hablado con Giovanni.

—Eso no me gusta...

—Lo siento...

—No me gusta nada. No he hablado con él de ti desde que llegaste.

—Pues ayer no pensabas así...

—Yo tan sólo te advierto de las complicaciones que tendrás si te metes a fondo en este asunto.

—Se agradece la intención.

—Alexander, la inocencia no es de este mundo, y no es un reproche, es mi opinión —añade María, con tierna mirada.

—Puede que sea una impostura —admitió orgulloso Alexander.

—¿Qué quieres decir?, ¿que buscas una ficción?

—No exactamente, la denominación perfecta tendría que ver con el espíritu escéptico. Al que se refería Miroslá... perdón, Miroslaw —y recalca las palabras sin ocultar un abrumado gesto— en un malogrado artículo.

—Miroslaw Pauper es una buena persona, no debes menospreciar su sutileza y pedantería: es amigo de Giovanni y además se le tiene un gran respeto en los medios intelectuales.

—No lo discuto, pero al igual que Giovanni con su artículo no han añadido nada nuevo a la investigación.

Capítulo 5

Einsam, wenn niemand wacht;
nie sei der Welt er zu Gehör gebracht!

WAGNER, *Lohengrin,* Acto III, esc. II

Se hacía tarde, Alexander recibió esa impresión de la mirada de María, del cansancio en sus ojos, de su expectante silencio lleno de pensamientos a los que Alexander no podía acceder. Aun produciéndole malestar, la prudencia y el respeto frenaron los deseos de indagar en esa oculta personalidad de la muchacha.

María se disculpó, debía marchar, invitó a Alexander a visitarla cuando lo creyera conveniente, le agradeció la velada, la espera a un Giovanni que ya se retrasaba excesivamente, le dejó un recado, le preguntó casi cuando cruzaba el umbral de la puerta si había hablado con Giovanni de su proyecto de escribir, a lo que Alexander encogiendo los hombros le respondió que aún no había tenido ocasión pues no había llegado del viaje. Nerviosa, se disculpó por su despiste, lo achacó al cansancio y le deseó buenas noches.

Alexander observó la calle y la sombra de María difuminándose entre las otras sombras del pueblo iluminado por las bombillas de los portones. La luna observaba impasible las blancas fachadas, las terrazas y el castillo en lo alto de la colina. Alexander sintió una extraña sensación de bienestar, y a la vez de inquietud en cuanto cruzó la calle, proveniente quizá de la repentina decisión tomada por la muchacha.

Desde que estaba en M... acostumbraba a pasear por el pueblo, recorría los soportales, se detenía en las encrucijadas, en el laberinto de callejuelas, dejaba a los pasos el cometido de perderse y a la mente el dictado de elegir los precisos movimientos necesarios para caminar.

Cuando María y su sombra desaparecieron en la Plaza del Loro, Alexander decidió caminar tras los pasos de la muchacha. Pensaba en el recado encargado —una simple llamada telefónica al mediodía—, en el cuerpo de la muchacha, en su mirada azul a la luz de la luna, la cual reavivaba aún más la atracción que sentía hacia ella. Vagó por la Cuesta del Bardo, tan parecida a su pequeño pueblo, tan lejano sin embargo en el tiempo, y tan presente en el dédalo de imágenes formadas disparatadamente sobre el estuco de las fachadas, sobre el blanco de las casas iluminadas con lucecitas de juguete.

Algunas personas se cruzaron en el camino, se saludaron entre ellas, tímidamente, ninguna era Giovanni, ninguna le reconoció, tan sólo la noche y la hora justificaban los huidizos saludos, cuyos ecos rebotaban débilmente en el silencio de la noche.

Reprodujo mentalmente la conversación con la

muchacha, la cena fría, su timidez, sus silencios, su extraño comportamiento cuando le habló del proyecto de escribir la biografía de Eduard Verne... Y en el deambular nocturno los pasos le llevaron hasta la plaza mayor. Al fondo, bajo el arco de la Biblioteca, una voz se dirigió a él por su nombre. El empedrado de la plaza reprodujo sonoramente los pasos de Alexander al cruzarla. Al llegar al arco descubrió el rostro de María, el misterio de una seducción que le llevó a buscar el cuerpo con manos anhelantes por estrecharlo, por hundirse en la mirada brillante, húmeda, viva en la noche estrellada y lunar.

Radiante en esa hora, la mirada de la muchacha perdida en el horizonte parecía recoger el lejano murmullo del mar cuando se observaron. Las palabras tardaron en salir de sus bocas impelidas por sabe Dios qué oscuros motivos. Ella se aferró a su muñeca. Hubo un instante en que su mejilla rozó levemente la de Alexander: «Eso es, dijo ella, necesito una promesa, una garantía, escríbelo tú, es lo que quería decirte antes aunque mis palabras significasen lo contrario, a veces las palabras traicionan los deseos, créeme, tan sólo estoy en posesión de la idea, como tú, de la magia de la historia, pero no de su creación». Alexander acercó su rostro al de la muchacha, en un tiempo infinito pasaron por su mente retazos de otros rostros, innombrables, desconocidos, incluso algunos irreconocibles, pero todos se reducían al de María, a sus mejillas húmedas por una inexplicable angustia. ¿Qué intentaba decirle? ¿Qué ocultaban esos ojos cuando observaban el negro valle? «Tienes que comprenderlo, Alexander, tú puedes llegar al fondo, ser su autor, créeme, tú conoces los signos —aparta la vista del cercano rostro de Alexander—, esos bichos asquerosos, babosos, repelentes y a la vez tan necesarios que cuando se presentan a media noche, te espabilan sin previo aviso y producen insomnio, aunque refuerzan la energía.» Detuvo el torrente de palabras, extrajo un pañuelo bordado del bolso y se lo llevó a las mejillas. Alexander la acercó hacia él, aunque intentó deshacerse del excitante abrazo, del aliento de los veinte años, diablos, brillaban las estrellas, parpadeaban al son de la débil música del *Matusalén* y la idea de besarla cruzó su mente, aunque desconocía casi todo sobre los motivos de su confesión. ¿Dónde había visto esa mirada, sería acaso un sueño, había soñado a María, se la había inventado? María, María.

Observó el otro espacio, el de los corredores habituales de los paseos nocturnos. Al otro lado de la plaza un gato se detuvo en el empedrado, levantó la cabeza, lanzó un maullido lastimero a las sombras del portón y de un salto se perdió en la noche. Se escribe, pensó Alexander, eso es todo, pero en esa aventura el vaivén de los signos ronda el entorno, vacía la noche de los silencios de la angustia; lo que le pedía María le abría el horizonte de una caverna, de una linterna mágica donde los personajes se comportaban como muñecos dirigidos por hábiles manos, pero incontrolables y desconocidos para quienes les observaban.

María suspira, se levanta, se lleva las manos al rostro. Algo se mueve en sus cuerpos y la noche inundó sus figuras de luz lunar cuando sus labios sintieron el peso del deseo.

La vivacidad de la inteligencia, quizá sea ésta, como recuerda un escritor contemporáneo, la única salida exitosa para escapar a la condena de la vida. La única posible, cómo no, para remedar, y en su caso sublimar, el desmembramiento sentimental, el padecimiento afectivo.

Dejó Alexander a la muchacha en su inexplicable sollozo, de pie ante las gastadas piedras, el cuerpo palpitante aún en sus brazos; en su cabeza también palpitaban los últimos momentos en los que ambos habían estado frente a frente, conciencia frente a conciencia a la espera de un instante diseñado y previsto en el cúmulo de dudas y certidumbres de dos pasados dirigidos al encuentro fortuito y azaroso: los vasos en la mesa, el leve gesto de euforia al entrar en el salón, la reprimida sonrisa de ella ante una observación del hombre, la duda en el trato, el brindis informal, la sensación de ridículo cuando él observó su interés por Eduard... Aún quedaban otros momentos, tal vez inescrutables por la memoria o la inteligencia, incapaces de dar una respuesta a los motivos de María.

Y había sido necesario un repentino gesto, una inconsciente decisión de salir a la calle para encontrarse envuelto en el calor de un cuerpo desconocido, para incrustarse en la historia y en el destino solitario de una mujer presa de su mundo creado a instancias de otro centro, de otra esfera ajena en principio a la de Alexander. Aferrada a una mano inútil, la del hombre, gastada en perseguir con la pluma los fantasmas y las débiles sombras, ni siquiera nítidas, de las palabras, la muchacha confiaba en ellas tal vez desconociendo la importancia que él les concedía.

Acarició el pelo de la muchacha, una ternura de difícil explicación les llevó a rozar sus cuerpos, a sentir sobre la tierra el dulce espesor del deseo, tierra blanda, seca, gastada por el sol y la tenue brisa mediterránea, a sentir la lenta respiración, agitada intermitentemente y en instantes precisos cuando la niebla de los árboles les llevó a olvidar los ventanales abiertos a la noche, entre el murmullo del mar y las hojas, entre la agitación de sus cuerpos llenando el vacío de sus conciencias. Y un abrazo rompió en mil pedazos el artificio de las miradas de la noche, descubrió el torbellino de sus impulsos y al final, al final de la oscuridad, María encontró la mano de Alexander.

Y desapareció entre esas sombras, testigos mudos, cuesta arriba, sin volver el rostro a los árboles que habían guarnecido su deseo, y Alexander quedó envuelto en la duda de la mujer, en su frenético impulso, en el púdico malestar de su entrega.

Capítulo 6

Non ha l'habito intero
Prima alcun, s'ha l'estremo
Dell'arte et della vita

Miguel Ángel

Después de la conversación con María, Alexander
se dedicó a ordenar su estancia en M... En la agenda
llevaba anotadas pulcramente una serie de activida-
des a cumplimentar rigurosamente: visitar el Museo
de Arte Contemporáneo; la Casa Museo de Mendelsshon, recuperada después de ímprobos esfuerzos de
los intelectuales de la comarca; el antiguo barrio judío, al este de la ciudad, recomendado vivamente
por Giovanni cuando se recluyó por primera vez en
el pueblo. Las anotaciones se extendían a otras acti-
vidades relacionadas directamente con el programa
propuesto por Roger Burton («No debes olvidar recorrer la Costa de los Muertos al atardecer —le había sugerido—, y si tienes tiempo y compañía agra-

dable que te relate de modo sugestivo su leyenda embárcate hacia el Faro de Punta Daga»), sin olvidar aquellos deberes impuestos por su propia actividad y cometido en M...: la formalidad de las entrevistas con los congresistas, las exigencias del editor, el recorrido por las ruinas del castillo árabe de Montsalvat, y la obligada visita al Parnaso de la intelectualidad clásica: la Biblioteca de Al-Jahbah, centro de estudio y peregrinación judío occidental y por extensión del mundo artístico y científico mundial.

Pero Giovanni retrasó su vuelta. Había sido informado por María y lo indicaba el escueto telegrama enviado desde Amsterdam a los tres días de la partida de Giovanni. Tal circunstancia ocasionó una alteración del programa y obligó a Alexander a aplazar las visitas anunciadas, trastornando la inicial planificación. Además, teniendo presente su nuevo frente de interés, las características de los propios entrevistados, el telegrama dio al traste con la posibilidad de recabar datos de quienes habían tratado a Eduard Verne.

Repasó la agenda, las citas concertadas y, no sin grandes apuros, aplazadas mediante disculpas improvisadas: un periodista cuyo nombre era incapaz de pronunciar por más que María y Giovanni se lo deletreaban escolarmente —debía de ser polaco, como ella—, amigo personal de ·Verne y encargado de presidir una de las mesas redondas; una entrevista formal con miembros del Ministerio de Cultura a fin de hacerles entrega oficial del programa de actos y dar los últimos retoques a su representación —la circunstancia especial en este caso residía en que uno de sus miembros pertenecía a la Academia de Lenguas y Literaturas Europeas que había concedido el Premio a Eduard Verne.

Recapacitó pues Alexander: Giovanni sería consciente de los trastornos de su retraso, aunque era posible —y otros hechos anteriores justificaban sus sospechas— que todo fuera producto de una de esas inesperadas decisiones de Giovanni, tal vez desconocidas por quienes le frecuentaban... Sin embargo debe ser consciente de la importancia de su presencia a una semana de la celebración del Congreso, dedicado precisamente a su amigo.

Sin embargo esta circunstancia motivó el enclaustramiento de Alexander en su cuarto de trabajo. Durante esos días llevó anotación puntual de aquellos datos considerados por él como importantes para ser entregados a la memoria escrita. El simple hecho de proponerse esa tarea avivó extraordinariamente los reflejos intelectuales tanto como los meramente literarios —si no van unidos— y supuso a la postre una satisfacción de la cual se enorgullecía; quedaba no obstante recabar contactos individuales por su cuenta, por ejemplo con Mario Sebastián, el bibliotecario, o con algún congresista.

Al término de los días acumuló, aparte de papeles emborronados, direcciones varias de personajes desconocidos, notas y un sinfín de datos diversos recogidos en las esquinas de servilletas o en las páginas perdidas de la agenda, una incierta muestra de las conjeturas más diversas, disparates y pistas que fueron a engrosar el volumen de borradores pergeñado en las horas nocturnas y a propósito de Eduard Verne, escritor hasta ese momento ausente de sus inquietudes literarias, más por desconocimiento que por interés.

Pero también al cabo de los días las horas de trabajo nocturno se fueron alargando y el curso natural del sueño fue inclinándose hacia la somnolencia en la vigilia, con el normal trastorno en el equilibrio día-noche, y en su caso, por la constitución física y mental, llegó a producirle cierto desasosiego, compensado en verdad por una envidiable e inspirada placidez nocturna en el trabajo.

Así fueron transcurriendo los días. Giovanni sin aparecer, María enfrascada en la oficina, él descubriendo nuevos horizontes de ideas (roedor de ideas, como él gustaba denominar a quien se agotaba vanamente en empresas intelectuales). Hasta que cierto día, cuando M... se iba hundiendo en el atardecer del Mediteráneo, y mientras trabajaba en el borrador de la conferencia, observó a una pareja caminando por la avenida en dirección a la casa. Entreabrió las contraventanas y distinguió a Giovanni y a María. Por los gestos parecían discutir. Esbozó una sonrisa, en la certeza de estar presenciando una clásica discusión de pareja. A Giovanni le conocía lo suficiente —eso creía él y así lo expresaban sus gestos— como para prever esa clase de exaltación, y a María, desconociendo tantos territorios de su personalidad como lagos o lagunas cubren la tierra, el hecho de ser compañera de su amigo la predisponía a intuir un tratamiento merecedor de tal tipo de amistad.

En verdad, su inquietud provenía de unos celos tenues, leves, casi inconscientes, fugaces, que no se disiparon fácilmente, al menos hasta que la pareja entró en la casa después de aguardar fuera un largo tiempo.

Giovanni, visiblemente excitado, apenas esbozó

un gesto de saludo se retiró a su cuarto. María, azorada, nerviosa, se acercó a la chimenea y susurró unas palabras ininteligibles para Alexander, quien observó la escena considerándose un espectador ajeno sin invitación. Incapaz de intervenir en un asunto del cual sospechaba no le concernía, ni mucho menos consideraba prudente mediar en él.

La ausencia momentánea de Giovanni llevó a Alexander a la creencia de considerar las palabras de María como una disculpa. En realidad la muchacha balbució unas palabras ininteligibles, casi de enojo hacia ella misma.

Alexander encogió los hombros ante la mirada de la muchacha, quitando importancia al incidente, y en un momento inesperado, cuando sus miradas se apartaron, María se le acercó, pegó su boca al oído de Alexander, observó el cielo estrellado y dijo:

—Ahora no es conveniente, no es el momento —bajó la voz, ya suave y dulce para Alexander—, Giovanni se calmará aunque tardará todavía. Telefónéame y hablaremos, ¿te parece?, o mejor, pasa directamente por casa, mañana, por ejemplo. Si quieres una historia interesante, mágica, como a ti te gustan —y por primera vez en muchos días le sonrió con candor y coquetería—, la tendrás. Te lo prometo.

Alexander quedó atónito ante el ofrecimiento de la muchacha, pero ella no experimentaba alteración alguna. Dirigió la vista hacia el fondo del cuarto, se acomodó en el rincón de la chimenea directamente sobre el parqué, abrió un libro y se enfrascó en la búsqueda de una página en un frenético silencio que llegó a exasperar a Alexander.

Cuando al fin la encontró, suspiró levemente, pareció tranquilizarse y le dedicó toda su atención. Alexander guardó silencio, pero su mirada fue deslizándose sin querer hacia la figura de María, arrodillada en la alfombra azul, jarapa obsequio de ella, precisamente, cuando él llegó a M... y ocupó el apartamento. Y no pudo reprimir un sentimiento de ternura hacia la muchacha.

Tal como había predecido María al poco tiempo apareció Giovanni, saludó con un gesto a Alexander, pasó la mano por el rostro de María y durante unos minutos hablaron en voz baja, en una conversación que Alexander consideró sólo les incumbía a ellos muy particularmente. Tal vez por esa razón desechó evidenciar su malestar por la prolongada ausencia del amigo —prevista según Giovanni para tres días ante la urgencia de la celebración del Congreso y de resolver los asuntos pendientes—. No obstante tan sólo la presencia de María —concluyó por pensar Alexander en sus reflexiones— atenuaba la crispación del ambiente.

Y de improviso Alexander recordó mentalmente la carta enviada el día anterior a María. Desvió la mirada; tuvo la sospecha, incierta en verdad, de que sus ojos azules delatarían aquello tan anhelado por él: una aprobación, un signo delator de los sentimientos de la muchacha hacia él.

Nada de eso aconteció y Alexander reparó en la figura de Giovanni, en ese hombre de aspecto tímido, gafas quevedo, chaqueta raída, porte apesadumbrado, rostro envejecido prematuramente... en ese hombre antaño querido y amigo cuya presencia, al cabo de los años, creaba un corte con la primera impresión recibida hace unos días, cuando se presentó en M...

Giovanni, Giovanni. Al poco de ausentarse María con la disculpa de preparar un aperitivo, una cena fría rápida, en la conciencia de Alexander se formaron sucesivas imágenes —no palabras, o al menos nada articulable en sonidos— evocadoras del pasado, de un tiempo sin márgenes, intraducibles. Algo encontró en el hombre, una difícil y compleja transformación, un presentimiento tal vez. Y cuando Giovanni levanta el rostro y lo dirige hacia el amigo el presente ya se instala con toda su potencia ante él: aleja el rostro Alexander y mira más allá del cuarto, al cielo tenuemente azul, delante de la ventana tan sólo ve la carta a María, no a Giovanni, esos ojos irreales, esa boca fina, esa nariz judía enmarcada en el pelo incipientemente blanco, sus manos escribiendo sobre Eduard Verne, las mismas que sostuvieron el cuerpo agónico en las losetas del puerto...

Giovanni esbozó una sonrisa, se dirigió al estante, encontró una botella de whisky y se sirvió.

—Ya hablaremos en otro momento, ¿no crees? No van bien las cosas por aquí, ¿sabes? —y en tono conciliador—: ¿te defiendes con la casa?

—Sí, por supuesto, es acogedora.

—Eso está bien.

—Por cierto, tienes correspondencia, la he dejado en el despacho —dijo Alexander.

Giovanni se acomodó en el sillón, suspiró profundamente como si intentara expulsar el cansancio de toda la vida, abrazó la copa con ambas manos y movió la cabeza con desesperanza.

—Alex, Alex, van mal las cosas por aquí, van mal. Y lo peor es que no sé cómo demonios arreglarlas. Hemos tenido poco tiempo para hablar de nosotros, es verdad, pero espero que lo comprendas...

Hace una pausa, mira a la puerta por donde había marchado María, se vuelve hacia Alexander y le señala con el dedo, como si hubiera descubierto de improviso la clave de un enigmático problema irresoluble durante milenios.

—Estuve en el teatro Holwerge, ¿recuerdas?

Alexander lo mira de hito en hito, pero no observó los gestos del amigo, inmediatamente dirigió la vista hacia los papeles de su escritorio para garabatear rombos deformados, figuras histriónicas, perspectivas dislocadas, habituales en él cuando la mente enhebraba pensamientos encerrados e imposibles de expulsar.

—Está muy cambiado —prosigue Giovanni—, lo han restaurado y ha perdido el encanto anterior, a mí me parecía más interesante antes, en su época dorada, la de máximo esplendor teatral, ya sabes, la de los años setenta, cuando representaban a los autores de vanguardia. Pero desde hace unos años han cambiado al director, ahora lo dirige un novel en estas lides, un tal Bomfield, que trabajó antes en el Liceo, y no quisiera emitir un juicio apresurado, es su primera obra y hay que ser benévolo, pero créeme, promete poco, de veras.

—¿Qué obra era? —comenta con desgana Alexander.

—Bueno, lo de obra es mucho decir, pero en fin, representaban *El espejo doliente*.

—No la conozco —y Alexander no aparta la vista de sus idiotas figuras geométricas.

—Es una recreación de *Alicia*, mejor dicho, un refrito escénico sobre el mundo real y el imaginario. Nada nuevo, todo se encuentra ya en Bekker, en Suzanne, en tantos, hasta en Montgu, tu dilecto autor, o en Armengold, ¡y si me apuras hasta en Ariosto!

—¡O en Aristóteles! —exclama Alexander contagiado espontáneamente por los exagerados ejemplos—. Por Dios, Giovanni...

—No te mofes, es cierto, ya la verás y me darás la razón —replica Giovanni con candor apurando el vaso—. Estoy cansado, demonios, estoy cansado y encima ese recibimiento de María... Inesperado...

—Alargaste demasiado tu retorno... —apunta seco Alexander.

—Bueno, bueno...

—Y con el trabajo pendiente.

—Ya lo sé, ya lo sé...

—Y ella es la secretaria del Congreso —le reprocha Alexander—. Por otra parte ya sabes que yo deseaba hablar contigo, bueno, tener tiempo para conversar después de tanto tiempo de silencio...

—Ya, ya —balbucea Giovanni exculpatorio—. Bueno, Alex, si tengo que hablar con sinceridad me urgía ir a Amsterdam, era inaplazable.

Alexander exclama un ¡Oh! que Giovanni interpreta sin susceptibilidad, de no intromisión.

—No pienses que tengo algún interés en meterme en tus asuntos.

—No es necesario que te disculpes, aquí llevo una vida muy distinta a la que tú conoces. Por supuesto es un aislamiento asumido, digamos que elegido —Alexander percibe un cambio de tono, una demostración de incierta seguridad—. Eso me permite mantener una distancia precisa respecto de las cosas, y también, por qué no, de los medios intelectuales. A cambio —esboza una sonrisa feliz y cómplice— mantengo una estrecha relación con las fuerzas vivas e interesantes del exterior, ¿no se dice así en la nueva jerga? De ahí los frecuentes contactos y viajes. Claro —añade después de esbozar un gesto aéreo con el cigarro—, pero verás, conoces mi trayectoria, por lo tanto puedo ahorrarme palabras innecesarias. Últimamente desde mi alejamiento de los centros de poder percibo cierta desidia intelectual, producto, creo, estoy seguro de ello, del desconocimiento de los clásicos. Se habla del fin de la historia, del fin del marxismo, hace una década del fin de las ideologías, ¿comprendes?, son síntomas evidentes de falta de diálogo, de lecturas, en suma, de discurso sistemático como dicen hoy, pedantemente, los inquietos y bellos intelectuales. Si quieres asistir a sus tertulias no tienes más que ir los viernes hacia medianoche al café Aux Vieux Casques, lo regenta un francés, buen amigo mío, ahí los encontrarás —sonríe con pesar, hace un gesto de desprecio con la mano y prosigue—: Bien, en el fondo el hecho responde al desconocimiento del pasado, aparte evidentemente de intereses particulares, tú dirías de clase, ¿no? El intelectual parece haberse encontrado con la horma de su zapato, ya no se distingue entre el puro y el arribista. Y sin embargo desconocen la historia, por lo tanto acabarán condenados a repetirla como ya han repetido, y la redundancia está justificada en este caso, hasta la saciedad los más avispados.

Giovanni guarda silencio, Alexander cree distinguir en sus ojos cierta melancolía y una alta dosis de rencor. Llena los vasos y prosigue:

—Ya tendrás ocasión de tratarlos, aunque mi recomendación es que rehúyas a ese tipo de gente, a ti no te van esas reuniones, y por supuesto a partir de ahora, y a propósito del Congreso, aparecerán como moscas. Sin embargo hay otro tipo de gente más asequible intelectualmente, y aquí en M... se prodigan bastante. ¿No recuerdas las confabulaciones de años atrás?

Alexander intenta recordar:

—¿Las de Berlín?

—No, no, las de Amsterdam, las de teatro, las reuniones de artistas... Pero ¿nunca te hablé de ellas? Aparte por supuesto de las que tú frecuentaste... Bueno, pues aquí he encontrado ese ambiente, más cosmopolita, más abierto y desde luego más transigente que el cerrado de los círculos de poder cualesquiera que sean y donde quiera que se encuentren.

En la Edad Media establecieron una distinción que creó buena fortuna: se decía que la función de los clérigos era la de orar, la de los nobles proteger y la de los siervos trabajar. Hoy el poder cree tener el segundo de esos atributos que la Edad Media, y no voy a decir que equitativamente ni mucho menos, había establecido tripartitamente, y cuando no desconsidera la crítica proveniente de los sectores intelectuales, propiamente tales, desdeña y traiciona la utopía siempre presente en cualquier pensador lúcido que se precie de tal.

Giovanni observa furtivamente a Alexander tal vez esperando un gesto de asentimiento a sus palabras.

—Además —prosigue animado—, pongamos un ejemplo, tú mismo en cuanto escritor que ha asumido su rol, su posición dentro de una esfera en la que por ahora no nos interesan sus peculiaridades, o mejor, no hablemos de ti... hablemos de Eduard Verne —Giovanni ha quedado pensativo, como si un rayo de luz se hubiera encendido en su cabecita—. Verne constituye un ejemplo clarividente de esa necesidad... cualquier escritor, digo, necesita al hombre testigo, al conversador anónimo (al que no está presente, cuerpo ante cuerpo, pero que está ahí, fuera, en el mundo), no a quien realiza la función, banal por otra parte, de observar su vacilante o precisa escritura, sino a quien desde su complicidad se constituye como observador-transformador de su mundo de sueños y conjeturas, de fidelidades y discrepancias, de utopías y proyectos; en suma, Alexander, a quien, desde una definición harto polémica desde luego, puede denominarse lector cómplice.

Permanecieron en silencio mientras comían de la fuente dispuesta por María: pastas, té verde, bollos de paté con salsa verde y blanca observada con grandes reparos por Giovanni pero aprobada vivamente cuando apuró el primer bocado.

—¿Qué especialidad es ésta? —observó interesado sin mirar a María.

—¿No lo sabes? —señaló orgullosa y solemne la muchacha—. Es una misteriosa receta de un filósofo árabe afincado en M... —añadió irónicamente.

—Pues ese árabe tenía buena mano —observó Giovanni sirviéndose de nuevo—. ¿Verdad, Alex? Por cierto —añadió con aire interesado—, ¿no será el mismo que te regaló ese horrible cubo de madera y bronce fechado según él nada más ni nada menos que en el siglo XIII y fabricado, ¡pero qué desfachatez!, por un artesano contemporáneo de Alfonso X?

María le dirigió una mirada de basilisco.

—Pero ¿de verdad no recuerdas la receta? Estás de broma.

—Pues no, ¿por qué iba a recordarla? —replicó incrédulo Giovanni—. Ya lo sabes, mi fuerte no son las recetas, y menos las musulmanas.

—Pues me la enseñó Eduard Verne. Por cierto, él la hacía muy bien, mejor que yo desde luego.

La muchacha dirigió una sonrisa triunfadora a Alexander, y sin despegarla de los labios anunció:

—¿Sabes, Giovanni?, Alexander ha decidido escribir una biografía o algo por el estilo. ¿No es así? Sobre Eduard Verne, tu amigo, ¿no?

Giovanni alzó la vista con asombro, dirigió una mirada vacía hacia Alexander, luego palideció, sus ojos brillaron y no pudieron reprimir un gesto de enojo. María tampoco pudo evitar encontrarse con la sorpresa reflejada en el rostro de Alexander. Dubitativo, Giovanni balbució:

—No lo sabía... no, por supuesto... no me lo había comentado.

—No tiene importancia —terció Alexander—. Es un estudio de los míos, ya sabes.

—Tú, si mal no recuerdo, no decides nada sin antes haberlo reflexionado. Os conozco.

—Por ahora se trata tan sólo de una intuición, una premonición, nada más. ¿Por qué lo dices? Por supuesto lo he reflexionado —con tono afable, sin apartar la vista—: desde luego espero tu ayuda, a fin de cuentas érais amigos.

—Ya —dice abrumado Giovanni en un hilo de voz—, de eso se trata precisamente.

Alexander se encogió de hombros. María hizo un gesto de extrañeza y llevó el índice a los labios en un gesto elocuente dirigido a Alexander.

A partir de ese momento la conversación siguió unos derroteros inesperados, tan imprevistos como nunca hubieran imaginado ninguno de los presentes; y por diversas e incluso opuestas razones desconocidas en aquellos momentos por cada uno de ellos. Alexander acertó a ver en el rostro severo y adusto del amigo los efectos de la historia de esa separación de diez años. Historia ni siquiera intuida en anteriores conversaciones aun reconociendo una ruptura, palpitante en los gestos del hombre sentado frente a él, indescifrable y atrayente a la vez.

Después de la larvada tensión Giovanni se disculpó y se retiró. Alexander invitó a María a hacer lo propio dadas las circunstancias; además, deseaba estar a solas, en décimas de segundo habían cruzado por su mente tantos y tantos recuerdos que sólo la soledad del escritorio y la vista del negro ventanal estrellado podrían aplacar, o al menos debilitar, las sospechas gestadas en la enredada madeja de su mente. Sospechas que cruzaron como relámpagos en la noche para quedarse al final con una: aquella que afectaba a los sentimientos, al cariño sentido por la figura del hombre apesadumbrado por sabe Dios qué endemoniados cortocircuitos neuronales: sospecha ingenua y firme a la vez: ¿Qué relación habían tenido esos dos hombres? ¿Qué guardaban o escondían con tanto celo? Y al ver la extraña palidez de Giovanni, ¿qué es lo que sospechaba de Alexander, o qué podría averiguar escribiendo esa biografía?

Giovanni, pensó Alexander cuando María se despidió, necesitaba del entorno para vivir —es una banalidad, lo reconoce, pero en su caso era una necesidad obsesiva—, para desplegar a sus anchas su actividad, lo necesitaba más de lo habitual si así puede decirse; y ese entorno observado en esos días pasados en M... Alexander no lo consideraba del agrado de Giovanni. Estaba falto de cierta dosis de ternura —salvo acaso la proporcionada por María—, cuando tal vez fuese el momento de su vida en el cual más necesitado estuviese de ella, cuando más le hacían falta los otros. Y si se le negaba ese deseo su soledad se disparaba hacia cotas ya excesivamente altas para poder hallar por sí mismo el antídoto o los remedios suficientes para aplacarla. En verdad Giovanni no estaba situado conforme con el mundo, no había encontrado —aunque esa circunstancia ya era antigua—, no había descubierto su centro, el eje de su esfera geométrica en el orbe de la existencia.

Por lo que respecta a María anidan en la cabeza de Alexander múltiples conjeturas: desde luego el encuentro del otro día ha dejado en su mente la incertidumbre, el misterio de una relación y un compromiso de difícil explicación. Y de nada le servía a Alexander, al poco de despedirse la muchacha, recordar sus palabras, el oscuro sentido de su petición: una nada se interponía, vaga, temerosa, entre ellas y la muchacha.

El valle fue encendiendo sus lucecitas amarillas, y el cielo azul, anhelado tanto por Alexander, empezó a romper la calurosa tarde de verano. Una inhabitual alegría, mágica y sorpresiva sin embargo, fue cubriendo tenuemente su corazón.

Capítulo 7

*Tú preocúpate del sentido
de lo que quieres decir,
que las palabras vendrán solas.*

Lewis Carroll

Los días siguientes tuvieron un significado especial para Alexander —por supuesto Giovanni y María contribuyeron a concederles ese carácter—. Le aconteció lo que en matemáticas acostumbra a denominarse *punto de inflexión:* consideró su situación tal como si formara parte indisoluble de la trayectoria de una curva lanzada al infinito' inocentemente y flanqueada por sendas coordenadas, ejes en el argot científico, que al llegar a un abstracto punto del cenit —desconocido evidentemente por él— por razones ajenas a la voluntad, incontrolables e incomprensibles, la curva cambia la trayectoria de su dirección, gira de modo repentino e inclina su cabeza como si de un pájaro se tratase, observa fijamente el eje horizontal, la coordenada de las «x», y se lanza frenética hacia él.

Por lo tanto se encontraba en el momento reflexivo, recién cruzado el rubicón matemático, punto de inflexión o cambio de rasante, consciente intuitivamente del advenimiento de un peligro a la vista de cómo la curva le envolvía sin previo anuncio y tomaba autónomamente una extraña dirección no programada; curva estimada por Alexander como humana y con existencia propia, incapaz de controlar o adivinar las causas de su voluntad, máxime cuando él se consideraba, sin vanidad ni vanagloria, el guía de su inicial impulso, el artífice de su originario programa.

Pero las matemáticas no eran precisamente su fuerte y cuando simuló navegar sobre la línea sospechó que los múltiples puntos de los cuales estaba formada le llevarían al infinito de una unión con sabe Dios qué otra línea o desconocida curva. Y un escalofrío recorrió su cuerpo ante tamaña posibilidad: ¿cómo podían vivir los estudiosos matemáticos con esa espada de Damocles pendiendo sobre sus cabezas dispuesta en cualquier momento a cercenar sus delicados y valiosos sueños algebraico-filosóficos?

En realidad, a fuer de sinceros —reflexionaba Alexander en sus disquisiciones matemáticas—, la gravedad de los hechos provenía de la alteración de factores desconocidos, ajenos o extraños. O mejor dicho, para ser comedidamente sinceros con el rigor: provenía del desconocimiento de otros puntos generadores también de la figura (y esa palabra le encantó) en donde él encontraba un puesto aun a sabiendas del desconocimiento de su lugar exacto y habitual.

Entretanto las luces de neón atraviesan el ventanal y depositan en la imaginación bellas palabras, una visión distinta, otro modo de esperar uno de esos días en que la placidez de la tarde engendra en los cuerpos cierta y dulce melancolía, trampolín hacía la quietud de la noche mediterránea. Y en esa imaginación los puntos geométricos de la figura se suspenden inquietos de sus hilos para crear formas distintas, figuras móviles de las que Alexander sospecha le llevarán con la suavidad de una nave en el mar tranquilo a la solución de sus caprichosos ensayos, de sus juegos con probetas, alambiques, matraces y demás herramientas del artesanal laboratorio.

Y mientras escribe piensa en formar una figura estable a donde se le permita acceder a clarificar la situación de cada uno de los ángulos formados; escribe en los borradores sobre Giovanni, sobre María, pero también sobre el bibliotecario, o sobre ese amigo de cuyo nombre no recuerda más que esa abstracta pronunciación... Escribe en la certidumbre de encontrar en el martilleo constante de las ideas ese cosquilleo de las palabras para lograr formalizar lo concreto y tangible de la historia sobre el papel.

Pero lo importante de la figura, concluye Alexander, es descubrirla en relación con esos personajes percibidos por el ojo a través de los ventanales. Una imaginaria línea crea una relación estable, instantánea, en un momento determinado se hace visible en la imaginación de quien lanza sobre ella su visión certera. Y entonces no sólo se descubre esa línea, única, solitaria en la cabeza de quien ha pensado, sino dos, tres, muchas más, todas unidas por uno o más puntos, los cuales inconsciente y automáticamente quedan instalados y resguardados por la memoria de las palabras.

Se regocija, siente palpitar un músculo de felicidad en el pecho cuando se hunde entre libros, papeles, notas rocambolescas y fichas referidas a Eduard Verne —cedidas no de muy buena gana por Giovanni— más parecidas a recetas que a notas estrictamente literarias, todo hay que decirlo. Pero a la postre, en el cajón de sastre, o lo que es lo mismo, en la carpeta de borradores, esos papeles no desmerecían al lado de los apuntes y vestigios de una memoria lentamente recuperada en la desidia de la mesa de trabajo. Aunque sospechaba de la información cedida por Giovanni —y no le sobraban motivos para ello— Alexander sabía de su importancia y que sólo con ella —y en búsqueda casi iniciática— podría encontrar, oculta entre personajes de máscaras intercambiables, modales distinguidos o formas caprichosas, la palabra salvadora. Como también era consciente de llegar a encontrar en el habitáculo del amigo, en esa horrible mesa de estudio, las reliquias de un mundo no por viejo y antiguo menos transparente dentro de la agresiva desolación de su dueño.

Sólo un fugaz pensamiento logró inquietar su concentración: María. La muchacha polaca había desaparecido del habitual círculo de paseos por el pueblo, de sus idas y venidas a la secretaría del congreso, incluso cuando fue a verla al apartamento —tal como había sido citado— no la encontró. La había esperado un tiempo prudencial al sol del atardecer pero la muchacha no había aparecido.

Y ese hecho llegó a inquietarle: hacía tres días que no la veía, ni siquiera se habían encontrado en la Biblioteca a donde iba a menudo a la sección de préstamos o a la sala de lectura a hacer acopio semanal de libros. Ni siquiera la encontró en el Matusalén, el bar del amigo Francis, alemán emigrado, personaje amigo de Eduard Verne y de Giovanni, también de María, que solía frecuentar a media tarde o por la noche.

Capítulo 8

> *El historiador y el poeta no difie-*
> *ren por decir las cosas en verso o*
> *no, sino que difieren en que uno*
> *dice lo que ha ocurrido y el otro*
> *qué podría ocurrir. Y por eso la*
> *poesía es más filosófica y noble*
> *que la historia.*
>
> ARISTÓTELES, *Poética*, 1451 b.

Vivía en la zona alta de la ciudad, en Albardín, una calle estrecha, sinuosa y empinada, de la que se bifurcaban otras simulando corredores de una enorme y angosta mansión blanca, luminosa, tierna y callada. Alexander, a la búsqueda de la casa de María, se perdió entre ellas, entre cobertizos, diminutas escaleras, azoteas y porches vigilados por balcones en un reducido mundo de contraluces y sombras, teatro de un laberinto de escenarios y figuras creados al arbitrio de anónimos artistas.

71

Calles breves, cortadas con calculada brusquedad por desniveles y curvas sin orden aparente, le descubrieron un pueblo distinto bajo el sol del mediodía. «Sin orden, sin boceto previo», pensó cuando sus piernas llegaron a lo alto del pueblo, a la cima de M..., cincelado sobre la roca viva por celosos habitantes a quienes parecía habérseles encomendado la custodia de un imaginario tesoro oculto en las entrañas de la colina.

Cuando llegó a la casa el sol ya estaba en lo alto.

Desde el ventanal Alexander pudo observar el laberinto recorrido.

—Allí se puede ver el espolón norte, a la izquierda, y el Acantilado de los muertos —señala la muchacha—. Se cuenta que en él desembarcó por vez primera Mijail Lowenthal, un marino ruso enamorado de M... que con el tiempo llegaría a escribir un bello libro, una bonita historia sobre la ciudad, a la que gustaba llamar Faro del Mediterráneo. En aquellos años —María se apoya en la balaustrada— M... tan sólo era una colina con bonete blanco luminoso durante el día rodeando al castillo, vigía inmóvil y silencioso del valle y de la costa, y por la noche una parpadeante luciérnaga de luces.

—Faro del sol, faro del mundo, faro... del mar... —repite Alexander—. *Cum sol Oceano subest,* decía el poeta.

María sonríe.

—Se le dedicó una plaza hace unos diez años, tres manzanas más abajo —añadió.

Afuera el silencio del mediodía entra suavemente en la estancia. La muchacha le ofrece una copa, se acerca a la ventana y Alexander piensa en el mar brillando en los azules ojos de María.

—Giovanni te puede hablar de él, lo ha estudiado con detenimiento y ojos intelectuales, es una historia romántica, envuelta en la leyenda y el mito. Es muy popular por aquí, y se la conoce muy bien.

—La conocerás, supongo.

Se levanta, recoge un portafolios del estante y le mira con resignación.

—Por desgracia yo no tengo memoria, a mí me la han contado. Además, no escribo, tal vez porque nunca me lo he propuesto, o porque no tengo imaginación, y esa historia es una fábula con una buena dosis de ficción y otra, muy poca, desde luego, de realidad.

Guarda silencio. Luego levanta la vista hacia Alexander.

—Eduard Verne tiene escrito un relato inspirado en ese personaje, en Lowenthal, por supuesto es una versión libre, muy distinta de la conocida por mí.

—Seguro que recurrió a Giovanni —apuntó Alexander.

—Es posible. ¿Ves?, con las leyendas siempre se consiguen maravillas. Cada uno puede encontrar la inspiración en cualquier historia. Basta con encontrar una. Ahora recuerdo a otro escritor…, bueno, no me acuerdo de su nombre, pero esa leyenda también le inspiró un relato. Evidentemente distinto al que le habían contado.

—Giovanni tampoco escribe —señala Alexander.

María bebe de la copa y revuelve en los papeles.

—Según él por distintas razones de las mías —dice distraída en la búsqueda de otro archivo.

—¿Qué buscas con tanto afán?

—¿Cuál?

—No, las razones.

—¿De qué? —pregunta la muchacha levantando la cabeza.

—Las de Giovanni, por supuesto.

—Ah, las ignoro.

—Pero vives con él, ¿no?

—Bueno, en realidad él está más de acuerdo con la tradición oral.

—Ya lo sé, pero no desvíes la conversación, por favor.

—Es ágrafo, ¿sabes? —continuó María sin hacer caso—, según una teoría que se ha creado, y que posiblemente la conozcas, no se necesita el soporte de la palabra, ¿se dice así?

—Es posible, sí.

—Bueno, qué tontería, sabrás más de esto que yo.

—Ya, nunca se sabe lo suficiente.

Recuerda perfectamente la conversación con la muchacha, el nerviosismo motivado por algo no alcanzado a captar. Su ir y venir, los altibajos emocionales, los entusiasmos exagerados, las miradas correspondidas, la sensación turbadora, consistente y espesa de los dos cuerpos invadiendo el ambiente. Recuerda la atracción hacia ella, el impulso instintivo de cerrar las manos y desviar la vista en un deseo nefasto de ocultar esa atracción.

Recuerda ese nerviosismo, la pregunta balbuciente del hombre («¿Llegaste a conocer a Beatriz?»), la mirada que le dirigió la muchacha atrapada por sorpresa, sustrayendo veloz su azoramiento de los ojos de Alexander.

—Me habló de ti nada más —dijo secamente María.

—¿Qué tratas de decir?

—Pues eso, que sólo me habló de ti, ¿por qué lo iba a hacer de esa mujer?

—Comprendo, sin embargo tú la conociste, ella estuvo aquí, digamos..., hace un año, exactamente cuando murió Eduard.

—Es posible, pero nadie me la presentó.

Alexander no insiste, se dedica a observar a la muchacha. De vez en cuando sigue sus pasos y el lento estudio de los archivos. Al cabo de un tiempo se arrodilla ante ella, le cierra la carpeta y la obliga a levantar la cabeza.

—Me interesa, María, me interesa una respuesta tuya, ¿comprendes? Es importante. Hazme ese favor.

La muchacha se agita inquieta, se deshace de él.

—¿Qué te propones?

—Poca cosa, descubrir una antigua trama.

—No te puedo ayudar, yo no lo conozco.

—Pero vives con Glovanni.

—Y qué.

—Para mí es suficiente. Soy amigo de él.

—¿De qué trama me estás hablando?

—De la de Beatriz, por supuesto, también de otros. Es igual.

—¿Y quién es Beatriz?

—Como quieras —dice Alexander furioso—, tú ganas.

María sale del cuarto, para volver al poco tiempo. Observa a Alexander un rato y luego habla:

—Sé poca cosa, es cierto, pero él no me ha hablado de ella.

—¿Entonces?

—Supongo que tendrás tus motivos...

—Ya los conoces, aparte de su visita a M... cuando la muerte de Eduard...

—Si lo sabes por qué insistir...

—Lo sé por una foto de prensa: aparecía en segunda fila, al lado de Giovanni.

—Comprendo.

—También estabas tú, ¿la recuerdas ahora?

—Vagamente.

—O sea que estamos como al principio —señala Alexander con desgana.

—En verdad la conozco, es cierto, pero él no me la presentó.

—Giovanni.

—Sí.

—¿Entonces?

—Pues…

—¿Te ha hablado de Beatriz?

—No, ni yo se lo he pedido. Simplemente he encontrado su correspondencia. O mejor, las cartas de ella.

Alexander dio un brinco en el asiento. La correspondencia, ¡por Dios!, de Beatriz, de Beatriz, ¿cómo podía desconocer la muchacha quién era? Entonces Giovanni le había ocultado la antigua historia, la historia de su vida.

—¿A Giovanni? —dice Alexander saliendo de su asombro.

—Sí, por supuesto.

—No conocía esa correspondencia —dice turbado Alexander.

—Pues existe —afirma tajante la muchacha—. ¿Qué sucede?

—¿La conoces? —pregunta interesado.

—Oh, Alexander, es muy personal…

—Claro, lo comprendo.

—Por lo que veo estamos rodeados de tramas.

—No tienes por qué entenderlo…

—No es extraño con el tipo de gente que nos rodea.

—Muy aguda, pero a mí me interesa una.

—Lo celebro, yo también me conformo con la mía.

—También las podemos intercambiar.

—Prefiero resolver la que me ha tocado en suerte.

—A lo mejor es la misma, caras de la misma moneda.

—Muy sagaz, muy sagaz, pero no.

—Gracias.

—*Il n'y a pas de quoi.*

—¡Está bien!

—¡Por favor! Alexander...

Los dos sonríen con el fondo de una descubierta complicidad.

—¿Por qué hablaste antes de no sé qué trama de Giovanni?

—Aquí está, lo encontré —dice feliz María extrayendo un manojo de papeles amarillentos del portafolios.

—¿Qué es?

—Espera y lo verás.

Alexander se sirve otra copa. La muchacha sigue ensimismada en los archivos. Una mirada circular a la decoración del cuarto delata la presencia de una mujer, por contraste con su apartamento, el de Giovanni. Piensa Alexander en Giovanni habitando el cuarto, sentado frente a él, frente a ella, dirigiendo sus ojos a los de María, levantándose en un impulso y ofreciéndole un beso en la tarde soleada. En el rincón del fondo se abre una puerta, también entra luz recortada por un escalón o falso piso; una estantería llena de desordenados libros y figuras de madera tallada aparece incrustada en la pared. Cosas, objetos, recuerdos, figurillas de bronce y de cera, un mundo...

Cuando más creía en la salvación por la literatura y la palabra una radio disipó violentamente los pensamientos de Alexander:

¡¡¡...Martino por la izquierda hace un quiebro ante la presencia de Mandini, controla el balón,

atención, se desmarca Vidal, también Gilson, *Camel,
Camel, fume o no fume, fume Camel*, pasa a Eduardo,
se detiene, por delante Marcos, otea el horizonte,
qué sabor, qué sabor, Camel, no ve a nadie, avanza
pegado a la banda en la demarcación de extrema
derecho, recibe Michel, qué cabalgada dios mío, *Danone, Danone, el yogurt deseable, amable, puro pecado*, atención, Martino pide el balón, lo recibe, se interna en la frontal del área, recibe Vidal, qué balón
señores, qué partido el de Vidal, pisa el área pequeña, mueve la cintura, se detiene, pasa a Gilson, pase
medido en la línea frontal, triángulo de oro, de tiralíneas, atención, se lleva a dos contrarios, hace la
bicicleta, se la devuelve a Vidal, voltea el balón,
piense, piense, pero no dude, Camel, Camel...!!!
    —¿Qué pasa, qué jaleo es ése?
    —¡Escucha! —dice María desde el cuarto—. ¡Es el
vecino de al lado! ¡No te lo pierdas!
    ¡¡¡Larga jugada, *Danone huuummm*, emoción, recibe Gilson, controla Gilson, qué partido el de Gilson, fútbol de quilates, no, no, eso no, qué entrada,
no señor, no señor, no es de recibo, qué entrada, *tómelo y no pregunte, Danone*, partido de infarto, a un
minuto del final el Epsonia clasificado, Helvética
cero Epsonia uno, vale el gol de Gilson y aquí nadie
se mueve, *Danone le quiere, ¿no lo ve?, cómalo, deglútalo, mímelo, saboréeelooo, se deja...* Atención, saca
Gilson la faaaaltaaaaaa... despeja la defensa, expeditiva, *sin contemplaciones, cómalo y luego pregunte,
delicioso*, como Vidal, Vidal de oro, balón de oro, ah,
ah, ah, ahí, ahííí..., roba el balón, se detiene marea
la perdiz, ve puerta, olfatea carnaza, olfatea red, ve
puerta, dribla al defensa, media vuelta, un autopase,
¡dribla a dos, a tres..., el portero...!, duda Vidal...,
¡no, no, no, el portero, ahí, sí, sí... a a a a ...¡¡¡gol!!!
¡¡¡gooll, gooll!!! ¡¡¡goooooooooooooollggollggollggoll-

llll!!!!!!!! ¡¡¡gol, gol, gol, gol, gol, gol, gol, gol!!! ¡¡¡Gol de Vidal!!! Vidalvidalvidalvidalvidalvidal, Vidalvidal vidalvidal, Vidalvidal... ¡¡¡Vidaaaaallllllllllllllllllll!!! ¡¡¡Vidalllllllllllllllllllll...!!! ¡¡¡Danoneeeeeecceeeeeee!!!
«Verídico», pensó.

María cerró la puerta. Alexander se hundió en el largo aliento de la ensoñación, no había nadie, en el otro cuarto María lloraba exultante, él necesitaba —así lo creyó, iracundo— un comunicólogo con urgencia.

—María —Alexander señala uno de los estantes—, ¿y esas figuras?

—¿Las del estante? —se fija en ellas—. Son los cinco volúmenes sólidos descritos por Platón. Un regalo de Eduard. El del fondo, ¿lo ves?, es el dodecaedro del que hablaba el otro día Giovanni.

Se disculpa, sale de la habitación y vuelve al poco tiempo con otro portafolios, azul en esta ocasión. Se queja del desorden de la casa, también de su ir y venir, ayer tuvo invitados y todavía no tuvo tiempo de arreglarla.

—Giovanni hablaba del Faro de Punta Daga —comenta Alexander.

—Te refieres al artículo de *Isla Literaria*, ¿no? Ya. Queda más allá del puerto pesquero —dice María recogiendo copas y arreglando el desorden—. Giovanni va a menudo, y te advierto que es impresionante, se ve la costa hasta el Acantilado de los Muertos...

—El Acantilado de los Muertos, el Acantilado de los Muertos —repite Alexander—. Bonito nombre también...

—Dile que te lleve algún día, merece la pena.

Alexander se vuelve.

—También tendrá su leyenda.

—Por supuesto —responde María sonriente mientras desaparece nuevamente por el fondo—, ya te contaré.

Recuerda la leyenda de Punta Daga, la disculpa por lo acontecido en casa de Giovanni, la carta enviada, la despedida... Recuerda la voz de la muchacha encandilando su conciencia con el relato de la leyenda, ya al atardecer, cuando el tiempo había dejado una estela de inconsciencia y había perdido su medida en el fondo de la conciencia:

Una noche de galerna frente a las costas de M... cuentan que naufragó un marino alemán y que una muchacha de ojos verdes lo encontró al amanecer entre las rocas del acantilado semiinconsciente y malherido. La muchacha lo cuidó, le dio cobijo y el marino se enamoró de ella, y ella le correspondió. Un día un velero vino a recogerlo para llevárselo a su tierra y ambos se debatieron desesperadamente por impedir la separación. Él le juró que regresaría y ella que le esperaría para ser inseparables hasta el fin de los días y que cada amanecer buscaría la blanca vela en el horizonte. Pasó el tiempo, un sol iluminando los días, una luna las noches del mar, y al amanecer de una mañana cuando la muchacha recorría el acantilado una voz ahogada por el bramido del mar llegó a sus oídos. Recelosa primero, entusiasta después, se dejó guiar por el dulce canto en el escarpado acantilado hasta llegar a una cueva, antiguo refugio de sus amores, pues de ahí provenía el canto. Allí se encontró con un hombre, marino también, de blanca barba, anciano y ciego. La

*muchacha se asustó, el anciano con un gesto de su
mano la tranquilizó y ella se acercó al hombre que le
ofrecía un cofre, un hermoso cofre tallado por hábiles
manos en el silencio profundo de las noches del mar,
en las largas esperas de lunas y crepúsculos. La muchacha observó al anciano y él en su infinita y ausente
mirada, sin la ayuda de la palabra, comprendió que el
marino enamorado no volvería jamás. El mar rompía
fuerte contra el acantilado, el sol ya se encontraba alto,
en el cenit, el tiempo parecía haberse detenido en la
cabeza de la desesperada muchacha cuando el anciano abrió el cofre y descubrió su contenido: una brillante daga árabe, repujada, maravillosa y reluciente al
sol, que el ciego marino no pudo ver pero que la muchacha cuando la abrazó comprendió cuál sería su
destino.*

Quedaron en silencio. María absorta en el mar
azul, de espaldas a Alexander, el hombre repitiendo
en los rincones de su conciencia pasajes del relato.

Al cabo de un tiempo, eterno para Alexander, María llevó las manos al rostro y se sentó frente a él.

—Debes marchar —dijo bajando la voz—, es lo
más prudente.

Alexander contempló el mar; los pasos de María
hacia la puerta le guiaron en su despedida. Se mira-
ron. En sus ojos creyó descubrir un infinito pesar,
hondo, profundo y por su mente pasaron imágenes
envueltas en la ternura de sus mejillas, también en
las de su voz por la que había conocido esa leyenda.
«Cuando el sol se hunde en el Océano», recita mentalmente Alexander, recordando los versos de Ho-
racio.

—*Cum sol Oceano subest* —dice al oído de María.

El valle se había cubierto de luces plácidamente
parpadeantes, hipnóticamente firmes en la retina de

Alexander. El cielo estrellado persiguió, ya al anochecer, el camino de vuelta al valle. Un silencio lleno de bocanadas de aire espeso invadió los pulmones, y una tristeza en el corazón embargó sus pasos.

Capítulo 9

El Señor confía sus secretos
a aquellos que le temen.

ZOHAR, III, 141, a-b.

—¿Cómo lo conocí? —María frunce el ceño mientras asimila la pregunta de Alexander.

Hablaban de Giovanni. Y cuando Alexander dejó a María aún palpitaban en el cerebro las palabras de la muchacha hablando del compañero. Llegó al Matusalén y se sentó en una esquina. Francis, el amigo alemán, le preparó una copa de su acostumbrada botella. Unos forasteros gritaban, bromeaban y cantaban en la mesa del fondo, bajo el entoldado; había bambalinas en el estrado; unos niños, con el sol pegado a las camisas de colores, jugaban en la pendiente de L'Harpe, verdadero embudo, tránsito obligado para deslizarse fuera del pueblo, hacia el valle.

Alexander reflexionaba entonces, en el Matusalén, en la respuesta delicadamente ofrecida por María.

—En el teatro —la muchacha mira vivamente a los ojos de Alexander—, en la función nocturna del Theatre Building of London. Por aquellas fechas, te estoy hablando de hace tres años, el grupo hacía una gira por el sur con una obra cuyo nombre no recuerdo ahora, pero que también tiene su miga, ya te hablaré de ella. En realidad —añadió—, nos presentaron antes de la función, en la rueda de prensa previa a la representación oficial. Ya no nos separaríamos en toda la noche. Se empeñó, eso sí con gracia y entusiasmo, en explicarme el entramado de la obra y a fe que lo consiguió. La conocía muy bien, casi de memoria, había escrito un largo y plomizo ensayo sobre ella que, por supuesto, me lo recomendó... Ahora recuerdo el nombre, *El largo vuelo de Niagauren*. ¿La conoces? Bueno, qué pregunta.

Hizo una pausa, bebió de la copa, observó el rostro de Alexander, su seriedad y prosiguió:

—Pues esa noche, ya medio borracha por tanto whisky al que nunca, confieso, he logrado acostumbrarme, Giovanni me confió su debilidad por el teatro, su participación juvenil en algún que otro grupo de aficionados, su ocasional e impuesta colaboración como crítico teatral en revistas, su rechazo de la palabra escrita, su odio a los libretos literarios, excesivamente impregnados del estilo más repudiado por él: la ausencia de la espontaneidad de un soporte de imagen, la palabra, de la oralidad en definitiva como supremo protagonista, etc., etc... ¿Ves? —apuntó con retintín María— volvemos a los mismos temas. En él era una obsesión, además de sus especiales y oscuras relaciones con el preciado elemento whisky, las cuales son tema aparte.

—Las conozco muy bien —confirmó Alexander.

—No sé por qué, pero sus agudos razonamientos siempre estaban relacionados directamente con el número de copas. Me molesta, debo confesarlo, esa capacidad de asimilar tanto líquido en tan poco tiempo. Sin embargo ese día soporté impávida el agudo ingenio de ese desconocido, inagotable por cierto, que había elegido a un interlocutor como yo. Tal vez lo sucedido después fue producto lógico de cierta atracción aunque yo no sentía lo mismo hasta que no llegué a conocerlo en otras circunstancias.

—¿Y?

—A las tres de la mañana detuvo su máquina de hilar y entretejer palabras, la que le daba cuerda dialéctica, como él decía, y guardó silencio durante más de una hora creo recordar. Entonces le hablé de mí, de mi pasado, de cómo catapultada por las circunstancias llegué a recluirme en este pueblo perdido y encantador de la costa mediterránea para dedicarme a una de mis pasiones predilectas, la música.

Hace un alto, duda, mira a Alexander con una extraña ternura y añade:

—Me cuesta hablar de esos momentos, espero que lo comprendas, han cambiado mucho las circunstancias... También hemos cambiado nosotros...

—Por supuesto, me hago cargo de ello —dice Alexander.

—Pero no te engañes, Alexander, no conoces ni la quinta parte de lo que está pasando aquí. No te engañes, créeme.

—¿Qué tratas de decir?

Suspiró Alexander y levantó la vista de la mesa. Francis le sonrió amablemente, parece preguntarle por alguien y hace un gesto señalando el reloj o la muñeca. Le saludó. Y María siguió relatando su amistad, tan distinta de la suya, tan complicada en verdad como la que había tenido él, pero desigual y diferente en tantos detalles cuando recordaba los primeros años de relación. «Una amistad, pensó, mientras los niños chapoteaban en el vertido de la fuente, una amistad es un regalo de difícil digestión.»

—Entonces —prosiguió María ignorando la pregunta de Alexander y hablando, desde la memoria de Alexander—, me confesó su desesperación intelectual, y sentimental por supuesto, sus proyectos y dudas sobre su existencia peregrina, casi medieval y a la que había condenado su vida... Alexander —se lleva las manos al rostro, para añadir con sentimiento—: es cierto, no era la voz de un borracho era la de un hombre sincero. Él decía que no era fácil encontrar a un interlocutor válido en esas fechas y menos todavía a una mujer dispuesta a soportar casi al final de siglo a un desconocido más allá de tres cuartos de hora, lo cual ya era mucho...

—¿Y qué es lo que encontraste en él?

—Es complicado de explicar —responde con énfasis. Duda un instante y añade—: Hace un tiempo tenía una explicación muy convincente, después la deseché y me incliné por otra, ésta es la última: Giovanni es un bendito, un lúcido bendito, la primera mirada suya ya me sirvió para clasificarlo, luego el trato tan sólo hizo confirmar esa primera impresión. Y por encima de todo, si dejamos a un lado su físico, su atractivo físico, su cuerpo enjuto, delgado, de judío, que particularmente no me atraía, tiene una lucidez desgarradora. En la balanza su defecto es el espíritu ágrafo por el que aboga, su defensa a ultranza de la palabra.

—Es Giovanni —dijo en voz alta Alexander, y Francis se acerca a su mesa solícito para servirle otra copa.

—Buena noche, ¿eh? —comenta el alemán con una sonrisa característica cuando estaba de servicio y a la que Alexander le corresponde. En el poco tiempo que llevaba en el pueblo cuando veía a Francis siempre se preguntaba de dónde demonios conseguiría esa sonrisa o qué desconocidos motivos tendría para disfrutar tanto de su trabajo.

—Me olvidaba —dijo de improviso dirigiéndose a Alexander—, estuvo por aquí su amigo el bibliotecario y le dejó un recado. Vaya mañana a verle, tiene algo para usted.

Alexander le agradeció el recado, levantó la copa y la chasqueó en el aire con otra imaginaria.

—Gracias, Francis, gracias, ¡por la amistad!

—Por la amistad —dijo sonriente el alemán.

Y se fue a servir a otra mesa.

Capítulo 10

Va'tu, leggera e piana
dritt 'a la donna mia.

CAVALCANTI

Todavía recordaba a María, aún había residuos de ella en la conciencia cuando dejó la carretera y tomó el rumbo este, el que le llevaría a cruzar el puente en dirección al barrio pesquero.

Pero el alcohol, el maldito bebedizo de Francis, exquisito en verdad, pero mortal para su cuerpo, le había embotado la mente. Y todavía quedaban un par de horas de crepúsculo, eso significaba poder caminar hasta la salida de la luna por el nordeste, llegar a la playa, visitar el muelle, aligerar su mente del alcohol del Matusalén y enfrentarse a la soledad de Giovanni.

Pero sobre todo le gustaba reflexionar mientras caminaba por ese sendero, enfrentado con el acanti-

lado al este, el pueblo a las espaldas y el luminoso
puerto al norte.

Y entonces se preguntó cómo empezar la cuenta
atrás, o mejor dicho, y para hablar con exactitud,
cómo resolver las múltiples reflexiones que bullían
en su torpe cabeza —pues a esas horas su torpeza
introspectiva era proverbial—. Hace siete días creía
tener unos principios, un ideario, una lógica del desarrollo de los acontecimientos, y fue suficiente un
leve cambio en su vida —o en la de los demás, pues
para el caso era lo mismo en cuanto habían influido
de algún modo en él—, para alterar su concepción
del desarrollo histórico hasta los tuétanos. Y también era indiferente a la observación —María casi
llegó a insinuarlo— según la cual todo podía ser un
invento de su carga intelectual, y que a su alrededor
circulaban unas corrientes desconocidas, ajenas a
su comprensión. Sin embargo algo no encajaba en el
puzzle diseñado, y su condición de invitado o con-
vidado de piedra le permitía asimilar de modo especial ese movimiento circular, ovoide, elíptico o
como se quiera, que otros por su particular disposición no podrían comprender.
Tales reflexiones le gratificaron enormemente,
aceleró el paso, cruzó el pequeño puente elevado sobre el seco cauce del río y se lanzó a una loca carrera
hacia la playa. ¿De qué le servía el pasado, la lógica
de la historia enseñada hasta la saciedad en las au-
las? Detuvo los pasos en la arena, miró hacia atrás,
como en otras ocasiones, como cuando María le
acompañaba al poco de conocerse, como cuando recién licenciado en Historia en los años sesenta se
le enseñaba la relatividad de los hechos históricos.

Y sabía, o se lo habían hecho creer, ¡qué más da!, que la historia tiene sus fases, una evolución progresiva, reglas de juego, un *tempo*: es decir, a cada hecho histórico le pertenece una coyuntura (con sus pertinentes fluctuaciones), cada suceso lleva aparejada una causa y mientras el análisis vaya descubriendo las relaciones, los orígenes y las posibles vinculaciones, la luz de la historia llegará a encandilar la inteligencia. De tal suerte el investigador accede a un estadio nuevo, paradigma de su acontecer individual y social, donde con su autoridad, ¡zas!, descubre el *Faktum* de la razón, el mundo inhóspito del murmullo de los hechos, el dulce e íntimo cosquilleo de las ideas para alcanzar el fascinante alborozo de las muchedumbres. A la postre ese alborozo es el del investigador, el claudicante muestrario de la lógica de quien ha descubierto la inesperada conjunción de las perlas en el camino. En otras palabras, piensa Alexander observando la aparición de la luna anaranjada sobre el fin del horizonte, es el alborozo de la historia ante el alborozo de los protagonistas. Una historia, se dirá, arquitectónicamente perfecta, a medida del diseñador, construida merced a quien cree en el progreso absoluto de la razón. Todo un *master* en *savoir faire* la Historia.

Detiene el torrente de ideas, amenaza con desbordar las posibilidades de la mente. Antes debe reflexionar sobre Giovanni, sobre Giovanni Shutter, por supuesto —y de algún modo ésa ya es una elección en el laberinto de posibilidades ofrecidas en aluvión—. En efecto, ¿cómo entender si no la personalidad de Eduard Verne? Giovanni era el íntimo amigo, el que le ayudó a resolver los problemas de estructura de su libro *El Viaje en una pluma*, el que le publicó la obra, en fin, paradojas de la vida, ¡un ágrafo ayudando a un escritor! ¡Qué original y extraña alianza! Habrá que investigar en esa parcela de la literatura, olvidada al parecer por la compañera de Giovanni, María, quien no se refirió en ningún momento a tal hecho.

«Hablaré con Giovanni —piensa Alexander mientras las pisadas dejan sus huellas en la arena—, hablaré con él, una manera indirecta de hablar con Beatriz, su imposible amor, que es hablar de María, su enigmática compañera, que es a la postre hablar precisamente de mí, cuando intento desenredar un ovillo sin más testigos que los pensamientos y sin más pretensiones que las de aclarar ante la razón la desaparición de un desconocido.»

—*Cum sol Oceano subest* —exclama Alexander.

Y recuerda los ojos de la mujer, los de María.

Capítulo 11

—¿Qué me decías en la carta?

—Las más bellas palabras por vez primera confiadas al papel.

—No sabes cómo anhelo que los sentidos gocen y entren en ese maravilloso mundo, me cieguen con su luz. Si escritas no puedo conocerlas deseo temblar con su sonoridad...

—Créeme, es lo que más deseo, pero me temo que no podré satisfacer ese legítimo deseo... mi voz destruiría la belleza que encubren, la inocencia con la que fueron escritas. Sin embargo, te pertenecen, cuando fueron concebidas ya habían elegido su destino: regresar a su origen... Tan sólo debes esperar al mágico momento de su despertar, aunque ese instante dependa de un misterioso don que las hace renacer.

ALBERTO DE MONTGU, *Historia de ingenio*

Pero María no le mencionó la carta enviada días antes, tampoco aclaró el contenido del portafolios que la había tenido tan ocupada, ni se disculpó por no haber acudido a la cita. Fue tal vez el brusco giro dado en un momento de la conversación lo que llevó a Alexander a no recordar a la muchacha las dudas y preocupaciones de su cabeza, fue, es cierto, el relato de Punta Daga el que le obligó a olvidar.

Aún palpitaban en esa cabeza las palabras de María cuando inició sobre la mesa de trabajo la cotidiana tarea de anotar los acontecimientos de la jornada.

Y cuando reflexiona sobre ellos recuerda su decisión de hablar de sí mismo a propósito de los otros. ¡Qué atrevimiento! Alza la vista y la débil línea del Mediterráneo le evoca el nombre del mar. Un sentimiento de aventura le recorre el cuerpo, como cuando nombró a quien forjó, desde la oscura e inconsciente muerte, ese encuentro de actores o personajes envueltos repentina y pertinazmente en su vida a poco de asentarse en la ciudad. Extraña aventura, ilógica e imposible, puede pensar, como la historia de quienes participaron en ella.

Rehago pues esa historia —escribe Alexander en el cuaderno—, me empeño en ella, ahora, cuando todavía palpitan los cuerpos y las letras, esos bichos asquerosos según María, cuando el recuerdo persiste en la memoria, en esa parte del cerebro donde los sentimientos y la razón mantienen una lucha por la primacía de su elección; la rehago, recreo los acontecimientos y el escenario. Y sin embargo reconozco mi más oculto deseo: huir de ella, alejarme de los recovecos y las inten-

ciones de quien tuvo en sus manos el control de la voluntad y el dominio de los actos.

«La vida apenas se justifica —había comentado María después de ofrecerle el relato de la leyenda— si no se entrega a una causa.» *La existencia adquiere sentido gracias a esa entrega, es cierto, siquiera como última razón de la búsqueda de un acto que la justifique. Acto por lo demás buscado a cada instante en presencia de la angustia y el misterio de la indescifrable pertenencia a un mundo silencioso ante el porqué de nuestra existencia.*

Había guardado silencio, recuerda Alexander intrigado por esas últimas palabras, prólogo a su despedida nocturna de la casa de la muchacha. ¿Por qué inició a continuación una vaga conversación entremezclando los sentimientos sobre Giovanni, el azaroso destino de su existencia y una extraña historia sobre su teoría del centro?

En fin, Alexander sonrió en la soledad de su cuarto, giró la manilla de la luz y movió la cabeza en un gesto de desaprobación hacia el entorno. Giovanni le rehuía, lo sabía, cuando llegó al apartamento esa tarde tan sólo llegaron a cruzarse unas palabras de cortesía y al momento se recluyó en su cuarto; ahí se encontraba sabe Dios con qué ocultos pensamientos mientras él trabajaba.

«Estará buscando su centro —pensó—, como María, como tantos otros.» No obstante recuerda el encanto de la muchacha cuando interesada y graciosamente le habló acerca de la figura: «¡Sin su conocimiento, estaba describiendo mi propia versión de ella!».

—Yo vivía en otra onda, sabes —le había comentado la muchacha—, en otra radicalidad, en otro centro, al menos eso creía yo, o me lo habían hecho creer que para el caso es lo mismo —hace un alto, enciende un cigarrillo, baja el tono, prosigue—: Creía firmemente en la división territorial del mundo, por extensión en la del Universo entero, centro de centros, descentramiento pluridimensional de cada individuo, de cada ser, pensaba entonces. Padecía la influencia descentralizadora, o centralizadora según se mire, del Universo, pero sin perder en ningún instante la individualidad correspondiente y en unas condiciones determinadas. Dios, qué desastre aconteció la noche en la que mi padre me confesó la certidumbre científica de que la Tierra no era el centro de ese Universo. Pasar de la teoría geocéntrica a la heliocéntrica —aunque me la explicasen con otras palabras el resultado fue el mismo— significó acostumbrar la inocente mente de los siete años a la terrible y desolada madurez adulta. Sólo más tarde, cuando los años se acumularon en oleadas pude discernir las consecuencias de ese descubrimiento, informarme de los conceptos extraños para una niña de esa edad, pero cuya provocación fue entonces causa de una enorme preocupación.

Hizo un alto, escondió su mirada detrás del pelo y miró fijamente a Alexander.

—La cosa se complicó con la edad. Ya al final del bachillerato mi teoría del centro llegó a preocupar de tal modo a mi padre —a mí no digamos— que, convencido de mi rapto obsesivo a manos de inextricables fórmulas, según él urdidas por maestros inconscientes, me prohibió, tajante aunque eso sí prudentemente, la lectura de aquellos libros de física, matemáticas, geografía o lo que fuesen, que tratasen o él sospechara que así lo hacían, el tema tabú, esa endemoniada teoría según la llamaba él.

—¿Y?

—Inútil. Los conseguía por otros conductos distintos al de su mimada biblioteca. Mi padre tenía un espíritu abierto, no creas, pero se sentía obligado a cuidar de la mente de su predilecta hija, a preservarla de la caída en la indolencia y el sectarismo intelectuales, como él decía. A la larga eso fue de gran ayuda: sirvió para descubrir otros territorios, desconocidos quizá si hubiera seguido otro régimen educacional.

Capítulo 12

Oh, Beatrice, dolce
guida e cara!

DANTE ALIGHIERI

Absorto en sus lucubraciones, en el lento proceso de espabilar las ideas a esas horas cercanas a la noche, Alexander no se percató de la presencia de Giovanni en el cuarto. Todavía palpitaban en su cabeza los hilos geométricos, las ideas de María y sus problemas universales de la infancia, cuando el saludo del amigo le despertó: se encontraba detrás de él tintineando el hielo del whisky al son de una imaginaria música dictada acompasadamente con la otra mano.

No le extrañó encontrar su figura paseando por el cuarto, a menudo aparecía de improviso, sobre todo cuando Alexander estaba enfrascado en pleno trabajo. No le molestaba, se lo advertía cortésmente: «Trabaja, Alex, trabaja, sigue con lo tuyo». Se servía

97

una copa, paseaba por los espacios libres, sorteaba los muebles, a veces salía al pasillo, lo recorría de arriba abajo, volvía al cuarto y se sentaba. Desde hace unos días, desde que se enteró del proyecto de trabajo de Alexander, las conversaciones entre ellos se habían reducido monográficamente a temas relacionados con el Congreso, varias veces había intentado Alexander derivar la conversación hacia otros temas, pero Giovanni hábilmente lo impedía y la inclinaba hacia un terreno propicio a sus intereses.

Alexander conocía la habilidad de Giovanni con una de sus herramientas preferidas, si no la única: la palabra, o como él la denominaba, el verbo. Aunque en esas ocasiones —en esos días— le extrañaba descubrir un resentimiento y cierto espíritu proclive a derivar en crítica salvaje, ciega hacia quien defendiera posturas contrarias.

—Estoy destrozado, Alex —dijo secamente a sus espaldas Giovanni.

Alexander no respondió, dejó el lápiz sobre la mesa, apartó los papeles y levantó la vista hacia el ventanal. Esperaba una confesión, conocía a Giovanni aun sin haberlo tratado en los últimos años, y la animosidad latente en su semblante y actos de los últimos días, visible para quien lo conociera siquiera fuera mínimamente, así lo demostraba.

Sospechaba los motivos, pero no deseaba asistir a una confesión de almas y menos con él. Aparte de lo que ello significaba, es decir, caer en las redes de sus persuasivas artes, Alexander tenía la cabeza empapada de la imagen de María, de su voz, de sus historias, de su simpática exposición sobre lo que opinaba del centro. Y en verdad Giovanni conocía la rara habilidad, maquiavélica si se quiere expresar así, de ocultar sus motivos en una primera aproximación, guardarse de incurrir en el error —él mismo llegó a reconocerlo en alguna ocasión— de entregar su opinión desnuda, altiva, inmaculada, redonda. Esperaba al interlocutor a las puertas de la dialéctica y cuando consideraba adversa la conversación arremetía con una andanada de argumentos contrarios y entonces sí, entonces se ofrecía con toda su crudeza el verdadero Giovanni, seguro, hábil, disoluto y enérgico, para exponer brillantemente su punto de vista.

Pero asistir a una puesta en escena de esa magnitud y características y en esos momentos suponía participar en un proceso catártico que Alexander no estaba dispuesto a fomentar.

—Estoy destrozado —repitió Giovanni—. Has estado con María, ¿verdad? Lo sé, es buena chica, te puede ayudar en ese lío mental que te traes entre manos, pero no te va a aclarar gran cosa, es camino vecinal, y tú lo que necesitas es una carretera principal.

—Quizá me la puedas ofrecer tú —responde molesto Alexander.

—No, no, no se trata de eso, yo puedo ofrecerte el método, ya lo sabes. ¿Quién si no te ayudó en la tesis? Aparte de ese obsceno elefante de Gustav Mier asentado en la Universidad y a la que por otra parte la consideraba como un cementerio del saber...

—Todos somos cínicos en algún momento —apuntó Alexander mientras giraba la silla neumática—. Además, sabes que quien me ayudó fundamentalmente en aquella ocasión fue Beatriz.

Ese nombre produjo en Giovanni una contracción de los músculos del rostro.

—Dejemos el tema, ¿eh? —dijo tajante.

—Como quieras.

Y Alexander encontró en los gestos de Giovanni el anuncio de su acostumbrada táctica. Siguió girando la silla aunque en uno de sus giros descubrió también un leve signo de predisposición al diálogo, un ligero velo de necesidad.

—Estuve con María esta tarde, es verdad, pero no hablamos del trabajo. Por cierto —y Alexander duda, mira a Giovanni absorto en la búsqueda de una expresión exacta—, por cierto, no sé a quién me recuerda, a alguien cercano, conocido...

—Déjalo, Alex —responde con seguridad Giovanni—, te recordará a cualquier polaca de las muchas que has conocido.

«¡Polaca, claro, cómo no se había dado cuenta antes! ¡Como Beatriz!» Dios, qué recuerdos comenzaron a palpitar aceleradamente en la mente de Alexander. Un resorte oculto, un mecanismo sutil sometido a tensión durante tiempo pareció liberarse de todas sus argollas y grilletes y situarse frente a él. Y como si de un instrumento humano se tratara todo un artilugio sinfónico cubrió los recuerdos, surcó el cuarto y se depositó en la mirada de Alexander. «Memoria, memoria, ¡oh, qué arpía dulce y traidora!», recitó inconsciente.

Era la memoria del pasado, caída como telón sobre el fondo del vaso de whisky al que Giovanni sometía a un nervioso y frenético tintineo. Momento aprovechado por Alexander para dirigir una tensa mirada al rostro prematuramente envejecido del amigo.

—¿Qué recuerdas?

—Lo sabes bien —respondió Alexander.

—Beatriz estuvo aquí hace un año, cuando la

muerte de Eduard. Se conocían. Pero no nos vimos, María se encargó de arreglarlo. No quería tener un encuentro y menos fortuito. Creo que preguntó por ti...

—No la he visto en todo este tiempo.

—Deseaba arreglar lo nuestro —dijo distraído Giovanni— y me preguntó por ti.

«De arreglarlo, piensa Alexander, ¿de arreglar qué? ¿Qué sabía Giovanni de mi relación con Beatriz, de nosotros dos?» Pero él no podía hablar, tampoco había encontrado la ocasión para compartir con él las vicisitudes de su amor hacia Beatriz. Por otra parte Alexander desconocía los múltiples periplos de Beatriz y Giovanni, las de ese personaje incrustado en una historia hinchada con la presencia de otro nuevo: una mujer que había formado parte de una figura antigua, arcaica, aparecida en el horizonte como una visión.

Giovanni le ofreció una copa y Alexander la aceptó encantado.

Beatriz, Beatriz, una relación rota casi al tiempo que se rompía la de Giovanni con ella. Desde entonces sus vidas se mantuvieron separadas, alejadas. Una distancia tan sólo interrumpida en aquellas ocasiones en que su participación en la revista *Isla Literaria* los reunía y siempre por breves encuentros, casi fortuitos y en circunstancias imposibles de alargar en el tiempo.

Pero Beatriz había significado algo más que un hecho fortuito en la vida de Alexander, había marcado tanto su vida de escritor como su relación con Giovanni, aunque el amigo desconociera los profundos hilos que habían tejido esa relación.

Por eso cuando Alexander descubrió en el fondo del vaso el sabor aguado del whisky, el poso del tiempo irreversible, làs sombras del cuarto se cubrieron de reflejos. Alexander se encontró hablando, gesticulando, acompañado de palabras en un deseo de atraer hacia el presente el pasado de una relación. Casi de modo inconsciente, provocado por saber Dios qué ocultas maniobras, dirigió su voz hacia Giovanni.

—Y de repente —dijo con voz vacilante al principio, luego firme y reposada—, una noche, ¿recuerdas?, sentí la mirada de Beatriz. Tal vez no la percibiste, o pensabas en alguien diferente, en otro modo de entender esa geometría profunda generada al margen de tu necesidad. Sin embargo sucedió, Giovanni, en un instante en que ni el azar fue capaz de alterar, interrumpir o doblegar. Fue un movimiento natural de su cuerpo, en el mar de palabras y silencios, en el tumulto de aquel reducto de reliquias que era la casa de París, y entonces desaparecieron los demás, no importaba nadie, Giovanni, ni tú, aun conociendo los lazos que os unían; no existía más que aquella mirada tensa, alerta, mantenida por sabe Dios qué oculta fuerza y dirigida por manos invisibles hacia nuestro entorno. Una atracción desconocida, inmersa en el mundo, en que las palabras quedaban fuera de su control...

»Tú no presentías nada —prosigue Alexander—, ni por supuesto el desenlace. Para ser sinceros, no existía el temor en tus ojos, la conocías, aunque de otro modo. No sospechabas mi relación con ella, pues apenas existía nada más allá de un intercambio de gestos y miradas. Pero desconocías la figura

102

formada subterráneamente, como yo la desconocía aunque de otro modo y desde otro ángulo. Y para qué recordarte aquella reunión, la cena fría cronológicamente encajada al inicio de los acontecimientos —Alexander parece dubitativo, detiene el torbellino de ideas, observa a Giovanni sin fijarse en sus ojos y continúa hablando—: para qué recordarte el contorno de sus ojos sobre los míos, la abstracta y misteriosa atracción ambicionando el cuerpo y destruyendo el pasado. ¡Oh, cielos, cielos! Irrumpía con toda la fuerza de mi vida en el calor de la noche, destronaba las palabras, mantenía los silencios cargados de proyectos y al final rompía las normas y las leyes. ¿Sabes lo que es el deseo? Para mí era esa mirada no percibida por nadie, y desde luego tampoco por ti, porque ocupabas un lugar donde no te correspondía comprender, porque sólo quien cree pertenecer a algo sabe lo que es la necesidad.

Alexander observa el fondo del vaso, las diminutas partículas del hielo bailando al son de su mano.

—Pero también desconoces lo acontecido aquella noche, celebrábamos el cumpleaños de alguien, creo, un amigo tuyo tal vez, fue hace cinco años, no sé... ¿Recuerdas cuando en un arranque nostálgico las palabras nos llevaron hasta los días de nuestra colaboración en el periódico de la Universidad? ¿Te acuerdas? Quizá no lo percibiste, pero tus labios eran otros, y tu sonrisa también era otra, tus palabras invadían el entorno aunque yo no las escuchase, o lo que es lo mismo, mi conciencia era conciencia de ella, de Beatriz, un pesado deseo invadiendo la mente, llenando el entorno de su cuerpo ante mi mirada. Poco importaba entonces que ella te hubiera conocido antes, que vuestras miradas hubieran soportado el peso de sentimientos pretéritos; nuestra colaboración literaria juvenil quedaba lejos, era

103

pasado imperfecto, pura arqueología; todo el pasado y todo el presente ya eran ajenos a ella.

»Me desembaracé de ti, no sé si bruscamente, tampoco era ésa mi intención, pero me alejé, rondé el entorno de vuestras vidas, el ajetreo de las calles y los paseos, las escaramuzas de la indecente vida (todo era indecente, decías, menos el amor). Además, me interesaba, ¿por qué no?, tu conversación, el tono a menudo moderado, riguroso, de tus encendidas, comedidas y vehementes opiniones. Aun no estando de acuerdo me atrapaba tu voz; para mí representaba el arquetipo de la Voz, con mayúscula, la sonoridad ideal de quien sabe acompañar sus argumentos. Es cierto, Giovanni, al menos contigo existía el diálogo, la atracción, y esa palabra fuera de toda lógica, de todo razonamiento escolástico, de toda suerte posible de argumentación... palabra que el solo hecho de pronunciarla me azora intelectualmente: seducción. Por lo demás ya sabes el desarrollo posterior de los hechos, al menos desde mi punto de vista: a partir de ese día, de esa noche mejor dicho, no fuimos muy lejos en el recurso a la dialéctica. La causa fue la mirada de Beatriz y la consiguiente huida, el encuentro con la grave voz de quien se interponía entre mis deseos y su historia. Huida no provocada por mí, nunca querida, créeme, tan sólo deseada por razones imperativas, impuestas al fin, es cierto, pero desesperada huida hacia adelante, hacia un punto no consciente en mi mente, ni tan siquiera en la elección acumulada al final de cada jornada. Pero eso nunca lo comprendiste, porque nunca estuvo en mi boca la más leve declaración de intenciones. Pero huida, huida de la soledad, de la contradicción, del sentimiento de culpa, de la maldad de mi bondad acrecentada por la atracción hacia Beatriz.

»Pero no recuerdas, y probablemente las palabras lleguen a traicionar los recuerdos y sus significados se interpreten de modo diferente al deseado. Es igual, Giovanni, queda una palabra, quedará una, tan sólo una, una sola, una voz en mis labios que de llegar a pronunciarla paralizaría la mente y el recuerdo, aun a tu pesar, aun a riesgo de trastocar la figura creada. Pero descuida, mi boca estará muda ante ella, mis labios han sellado el pacto de silencio, ella sólo morirá conmigo.

—¿Te refieres a la carta?

—No, por supuesto, eso sólo es una anécdota en la vorágine de palabras del pasado.

«La carta, es cierto, la carta», piensa Alexander, de nuevo aparecen las palabras como guardianes de la memoria, como centinelas de la pluma. De nuevo esas diminutas partículas deben saltar en el vacío de los años, deslizando en el cerrado círculo del apartamento el cálido recuerdo de los momentos absolutos, eternos, resplandecientes, maravillosos, esos instantes muertos al término de las horas. La carta, la carta, ahora la ha recordado Giovanni, con esa inocencia calculada tan característica en él. La había olvidado, Alexander ya no la recordaba, se había arropado en el fondo de la memoria de las cosas y debe despertar ahora.

—Te encontrabas en Grecia, ¿recuerdas? —Alexander habla en alta voz para sí, olvidándose del amigo—. En Grecia, claro, Beatriz todavía no había llegado. La figura, sin embargo, ya había trazado a las espaldas sus tentáculos convergentes al son de la cálida música mediterránea. Le escribí una carta al borde justo de la depresión y la emoción contenidas, desde el oculto fondo de palabras jamás conocidas por mí, buscando en ella la caricia de su musicalidad arrancadas del corazón en los momentos de desesperación. Carta olvidada ya, rememorada en años posteriores, cuando el tiempo desvaneció los besos y fueron sustituidos por la emoción y la angustia.

Pero Giovanni desconoce la carta, sólo puede nombrarla, no la ha leído. Fue escrita en mayo, Beatriz se desvaneció de la vida de Alexander en junio, al mes siguiente se encontraron en París —en la que sería su última cita—, y la carta desapareció de sus vidas en agosto, rota en el beso de despedida en la ruta Berlín-París-Madrid...

—Entonces me dijiste, a propósito de no sé qué, que sólo se amaba una vez, ¿recuerdas, Giovanni?, que las demás tan sólo eran búsquedas del primer amor perdido. ¿Y María, y María —exclama exaltado y violento Alexander—, y María, también es una búsqueda?

Giovanni ha quedado sumido en la contemplación del sucio ventanal. Alexander no se dirigió a sus ojos, tan sólo vio el bulto, la sombra de una supuesta figura, pero no son los mismos de hace cinco años, cuando ante la presencia de Beatriz habían quedado ocultos tras los primeros cumplidos y saludos de presentación. Ojos azules, tranquilos, suaves a la mirada, seguros de su visión, y sin embargo Alexander adivinó en ellos cierto resentimiento.

Y recuerda a María, ironías del destino, sangre del tiempo unida en el destino por un azar aliado para crear nuevas y antiguas fortalezas. María, María... Pero ella no conoce a Beatriz, por tanto desconoce la oculta figura de los hilos, tan sólo puede anunciar una amarillenta correspondencia, singular por supuesto, sabiendo su autoría. ¿Qué relación manten-

106

drá ahora, piensa Alexander observando la maciza cabeza de Giovanni? ¿En qué figura desconocida se encuentra ahora?

Se encontró hablando en un torbellino de palabras, hablando de Beatriz, del primer encuentro que era con María, del primer abrazo que sería con María, superpuestos los deseos y el pasado, dos mujeres en una única presencia, indescifrable modo de llevar a efecto su anhelo de equilibrar voluntariamente ficción y realidad, deseos y añoranzas:

—Sucedió sin anuncio de baladas, Giovanni, sin grandes señales en el cielo. Nos encontrábamos sentados frente a frente. Dos mentes distintas, idiomas ajenos, conciencias ininteligibles. Detrás de ella el tiempo mecía las palabras, tejía el destino de su libertad; detrás de mí la eternidad de un lenguaje esperaba en círculos concéntricos infinitos, deseaba que las palabras se agolpasen en el cerebro y cruzasen el espacio de los cuerpos. Pero nada de eso sucedió: ni ella habló ni yo articulé ningún sonido. No fue necesario. Tan sólo observé sus ojos, o ella los míos, o los dos desde nuestro relativo mundo nos lanzamos a la magia del silencio. ¿Comprendes? Apenas aconteció nada, ni un movimiento extraño, significativo, ni un abrazo, ni un beso, tampoco una señal... O quizá justamente lo que aconteció fue la ausencia de todos esos signos. La noche mantuvo su reino de sombras, se difuminó en los recovecos de la avenida, se dirigió al muelle, dejó su cerrada niebla entre las diminutas luces, sorteó las callejas y se instaló en la plaza, allí se apresuró a presentarse ante las contraventanas. Creo que ella no se dio cuenta, pero yo vi las tinieblas, el whisky en los vasos, un residuo de noche en su rostro y el color de la llama encendida en sus ojos. ¿O tal vez vi el reflejo de mi vida en los suyos?

»Al término de un tiempo —prosigue absorto

Alexander—, pero ¿qué tiempo, cómo medirlo, es posible retener en los dedos algo tan etéreo e impensable como la palpitante mirada de nuestros cuerpos en esa noche? Fue al final, al término de las horas, ya en la noche, los vasos descansaban, ninguno de los dos esperaba más que descubrir el deseo del otro, y entonces las cosas perdieron su significado preciso, material, contingente, y las miradas se transformaron, la negra noche cerró sus puertas y la necesidad apareció desnuda ante nosotros, cada cuerpo se encontró con el otro, lejos de su pasado, mecido por la noche.

»Y la conocí. ¡Oh, Dios, cómo había esperado ese instante! Ninguna duda cruzó la mente cuando recibí su mirada, cuando nuestros cuerpos se deslizaron en las calles imaginarias, imprevistas, dilatadas, en un tiempo sobre otro tiempo mientras el sueño se resistía a desvanecerse.

»¿Me creerás si confieso que hasta ese día no había conocido esa mirada? Y no te engañes, Giovanni, me has ofrecido, y yo te he ofrecido, es cierto, la amistad, pero ahora, en este preciso instante del relato, el pasado es catapultado sobre mi conciencia, se despereza de un profundo sueño, antaño eterno e ininteligible; da la impresión de que esos actos eran tan sólo preludios imperfectos, antífonas dispuestas para un instante supremo. Sí, es cierto —afirma Alexander con pesar—, existe un antes y un después de París, ¿comprendes?

Alexander suspira, observa a Giovanni y siente la distancia abierta por las palabras, se pregunta si fue necesaria la confesión, si existirá un motivo oculto e incognoscible capaz de justificarla.

No lo encontró, apenas el murmullo del mar llegó hasta sus oídos su mente se detuvo. Otras noches era perceptible el suave choque de las olas sobre el acantilado, el ensoñador movimiento del bramido del mar en su conciencia. Esa noche, sin embargo, los oídos zumbaban a causa del recuerdo, de la tardía rememoración de una confesión injustificada. «¿Por qué recordar con palabras —piensa—, para qué expresar con ellas sentimientos si cuando conoció a la muchacha estuvieron ausentes? ¡Dios, cómo odiaba las palabras!»

Observa el desamparo del amigo. Hace un instante había rozado la débil frontera entre el odio y el amor para aborrecer al hombre que había recibido sus palabras. Ahora, sin embargo, la lástima parecía haberse asentado en la figura de Giovanni, y Alexander descubrió cierto rechazo cuando sus miradas se cruzaron en el indefinido espacio del cuarto.

Gira el pick-up, Giovanni lo ha puesto a funcionar, y evidentemente suena *Al final de la noche*, de Kate Whiler, canción reproducida en la conciencia de los dos hombres sobre inertes pensamientos, sobre la calurosa y húmeda noche de M..., ciudad expectante y dormida, vaga y solemne.

En esa mirada Alexander había puesto toda la atención posible con el propósito de desentrañar una presumible reacción anunciada en ese silencio. Aunque Giovanni daba la impresión de un ser hermético, encerrado en una máquina dispuesta para ganar, para recibir y procesar lógicamente los datos a la espera del momento oportuno en que tomar una decisión justa, absoluta y definitiva. «Ninguno de sus lazos con el mundo ha podido —piensa Alexander— acelerar la deformación de su rostro, alterar alguna de sus decisiones.»

Pero no interrumpe ese silencio.

Y las palabras fluyen dulcemente en la mente, se espabilan de la ensoñación musical; incapaz de transmitirlas, Alexander detiene la babosa serpentina de sus disquisiciones. Curiosamente el monólogo le ha dejado un sabor agridulce, delicadamente instalado en el último tramo de una imaginaria línea que uniría sus proyectos con el blanco papel depositado en la mesa, aún sin impresionar y centro natural de las palabras.

Pero no desea descargar la conciencia: siente el cansancio, la oscura voluntad de borrar la imagen de Giovanni, su deambular irreversible por las sendas del tiempo.

Y las imágenes circulan libremente. Imágenes nacidas de la memoria de las cosas. La de Beatriz leyendo la carta, imagen sobre imagen, reflejo de reflejos en las azules aguas griegas, en las frías tardes parisinas; las relatadas hace tiempo por la mujer y recuperadas cuando son entregadas al olvido de las palabras.

«Olvido, olvido, repite Alexander, palabras parpadeantes en el laberinto de pasos en la noche.» No ha habido una carta, sino varias: distintas palabras para expresar la necesidad, distintos modos de acercarse a la mujer alejada en la distancia. Varias cartas y una sola palabra contenida en multitud de significados.

Pero ¿para qué desplegar en el nebuloso día la serpentina del recuerdo guardado levemente? ¿Por qué la memoria martillea rítmicamente y el nombre de Beatriz se extiende viscoso, pesado, en la imaginación desde que ha desaparecido?

Varias cartas, varias cartas. Es cierto, y Giovanni apenas conoce el significado de una sola, no las conoce. «Además —Alexander dirige su mirada a la figura sombreada del amigo—, sólo quien conoce lo que ha perdido puede llegar a saber lo que busca.»

Beatriz está cerca, Alexander lo sabe cuando ha abierto las contraventanas y la brisa con sabor a mar inunda los cuerpos, cerca, a su lado, lejos, es verdad, mas dentro de su esfera.

—Es cierto, Giovanni, en instantes precisos, únicos e imprevisibles, puede percibirse con insólita lucidez la inquietante presencia de los otros en nuestras vidas.

Giovanni se levanta, su mirada gira por el cuarto sin ánimo de fijarla en nada, ausente, al menos para Alexander que la ha seguido durante un tramo, antes de depositarla en su mesa de trabajo, encoger los hombros y bajar el rostro.

—He quedado con María —dice escuetamente, con cansancio.

Se dirige a la puerta. Se detiene, aferrado al pomo para con voz grave afirmar:

—Ven si quieres... Te interesará estar presente. Las sorpresas nunca están ausentes de esta ciudad. Con un poco de suerte conocerás de qué calaña son los periodistas de esta parte del continente...

Y cerró la puerta.

Capítulo 13

La literatura es un arte supe-
rior a la metafísica, porque
comprende más mucho.

PINCIANO

—*Ach, ich fühl's, es ist verschwunden, ewig hin der*
Liebe Glück! —recitó Francis, el alemán, cuando María apareció en el entoldado del Matusalén.

Francis era un tipo extraño en otros ambientes
distintos al de M... De mediana envergadura, fuerte,
su rostro juvenil llevaba marcadas las líneas divisorias de una vida peregrina, aciaga en ocasiones,
aventurera siempre, lo que daba a su carácter una
singular personalidad, afable, seductora y entrañable. De sus múltiples exilios había conservado una
exquisita afición por la música, y el Matusalén era
una muestra de esa afición: en plena noche festiva
no tenía el menor reparo en atacar un aria o un frag-
mento de ópera alemana o italiana y encandilar al

112

personal, que entre silbidos, aplausos y brindis, celebraba la extemporánea irrupción musical del alemán. Claro que todo tiene una explicación: la clientela habitual la formaban invitados y amigos y algunos alemanes que aceptaban gozosos tal tipo de música cuando en los vecinos establecimientos predominaba la última música moderna. Pero según cómo transcurriera la temporada invernal o veraniega Francis controlaba sus incursiones musicales en función de los gustos exquisitos de sus clientes, en ocasiones, no comprendidos por un público poco proclive a ese tipo de contrastes.

Cuando apareció María, Francis la agasajó de este modo: le recitó el pasaje de *La Flauta Mágica* en que Pamina duda del amor de Tamino hacia ella. María, conocedora de ese recitado, aceptó emocionada y alborozada las palabras del amigo y le dio la réplica en un perfecto alemán, advirtiendo que era a ella a quien le correspondía recitar ese pasaje. Buenos amigos —no en vano habían convivido los primeros años de su llegada a M... cuando las dificultades de adaptación eran mayores—, Francis se ofreció encantado a acompañarles a la mesa corriendo la primera ronda a cargo de la casa.

En un aparte María le explicó a Alexander el diálogo en alemán mantenido con Francis:

—Te parecerá un contraste, pero a los dos nos encanta la ópera italiana y por supuesto la alemana, sabrás que no siempre los entendidos en ópera admiten su preferencia hacia las dos a la vez, son distintas y no digamos para el aficionado de la época. Sin embargo Francis y yo nos emocionamos tanto con el Mozart alemán como con Verdi, una de nuestras debilidades. *Ach, ich fül's...* —recitó María con perfecta y modulada voz, para ofrecer a Alexander la versión traducida—: ¡*Ay, siento que todo ha aca-*

bado, que la felicidad del amor se ha perdido! Qué bella, ¿no?: *hin der Liebe Glück!*

Giovanni no se incorporó hasta medianoche. Alexander lo había dejado en casa trabajando en no sabe qué asunto surgido a última hora —él sospechaba una mentira piadosa— y cuando llegó al bar de Francis observó en el amigo cierta pesadumbre e inquietud achacada presumiblemente a la conversación anterior.

Transcurrieron las horas plácidamente, Francis se encargó de animarla, había contratado una pequeña orquesta compuesta de residentes alemanes, funámbulos amigos, que recorrían la ciudad cantando e invitando a quienes deseasen participar de su ánimo musical. Giovanni se apuntó en cuanto apareció en escena —para sorpresa de Alexander— y después de un largo recorrido con el grupo, regresó animado haciendo alarde de su gracia y buen humor.

Cuando la gente fue retirándose, ya de madrugada, y Francis tuvo menos trabajo nuevamente se sentó a la mesa para participar en uno de sus temas favoritos: el teatro. Y Giovanni a esas horas ya estaba bebido, evidentemente, pero Alexander había alcanzado también un punto de inspiración suficiente para mantenerse en esa tierra de nadie donde la percepción es sensible y el ingenio preserva de la caída en la mediocridad. Por su parte, María gozaba de las ocurrencias de Giovanni, y Francis, en cuanto percibió el tema de fondo de la conversación, se instaló convenientemente parapetado tras buenas dosis de whisky.

Al poco tiempo de aparecer Giovanni también se incorporó al grupo un periodista, presentado por

Giovanni como Miroslaw Pauper, corresponsal de una agencia polaca, secretario de la Unión de Periodistas Extranjeros y conocedor de la obra de Verne. Alexander se alegró de su presencia: era uno de los señalados en su agenda con una cruz, es decir, individuo interesante. Antiguo colaborador tanto de *Isla Literaria* como de *Littérature Française*, participaba como ponente en el Congreso. Alto, de barba rubia, rostro curtido y rugoso, a Alexander le dio la impresión de un hombre tímido y de aspecto muy reservado. Educado y de maneras afectadas, rancias a juicio de Alexander, fue saludando efusivamente a cada uno de los presentes, de modo especial a Francis y Alexander a quienes no conocía.

—María —observó Alexander, antes de que Giovanni iniciara su anunciado comentario sobre la última obra teatral holandesa—, María, me han informado, fuentes dignas de crédito, que escribes...

—¡No, imposible! —respondió con falso asombro.

—Pues sí, pero no voy a descubrir al mensajero —señaló con firmeza.

—Pues es una información falsa, totalmente falsa, yo me incluyo decididamente entre los seguidores de Giovanni, la oralidad debe permanecer y no sólo eso, sino que debe ser fomentada, etcétera, etcétera, etcétera.

—Bueno, bueno —insiste Alexander—. Confiesa, ¿has escrito o no has escrito algún libro?

María sonríe, Giovanni le dice algo al oído, Francis se levanta un momento para atender en una mesa mientras Alexander aguarda expectante.

—He escrito un libro, lo confieso —dijo con tono solemne, después de dudar y como si hubiera roto un juramento.

—¡Y no se arrepiente! —sentenció Alexander.

—Pero diles de qué va, mujer —aconsejó Giovanni.

—¡Ah, por supuesto! Ésa es otra pregunta tremendamente interesante: ¿de qué va el libro?, ¿cuál es la estructura profunda del parto de marras?, ¿cómo se puede valorar críticamente? En fin... —apostilló meditativo Francis incorporándose a su asiento—, ¿cuál es el método seguido?

—En efecto, el método, el método —cargó las tintas Alexander.

—Calma, calma, compañeros, escuchemos la voz de su creadora —intervino con autoridad Miroslaw.

María apuró el whisky, tragó forzadamente el líquido y dirigió una mirada circular a la mesa.

—Es una ópera —dijo—, una ópera bufa para ser exactos.

Hubo caras de asombro, miradas de incertidumbre.

—Una ópera, es una ópera, eso es todo...

—Pero entonces no es un libro, un libro de creación, una ficción novelesca, ¿no? No es una fábula... —señaló decepcionado Alexander.

—Pero bueno, ¿es que una ópera es cualquier cosa? ¿Acaso crees que sólo son libros los que tú escribes? ¡Hasta ahí podíamos llegar! —protestó María.

—Bueno, mujer, disculpa, todos pensábamos en algo distinto, en una novela a la antigua, o a la moderna, bueno, qué más da, en un manojo de páginas escritas con intriga, muerte, celos, desengaños, ¡yo qué sé!, lo normal en una vida, ya sabes —y Alexander miró con recelo a sus compañeros—. ¿No? ¿No es eso en lo que pensamos?

Los demás aprobaron la mirada cómplice dirigida por Alexander y asintieron serios y con gestos desairados.

116

—Me estáis tomando el pelo y la cosa va en serio.

—Pues entonces cuéntanos de qué va, a lo mejor es un libro tal como pensamos nosotros, no hay por qué descalificar sin antes informarse —declara conciliador Alexander.

—Muy gentil de su parte.

—Es un libro de música —aclara Giovanni sonriente—, ¿no, querida?

—Pero eso no es un libro, es una colección de... —Alexander mira a su alrededor buscando consenso—, eso es otra cosa, un libro no es eso...

—Es un libro, no le deis más vueltas —señala tajante Giovanni—. Un libro de música puede ser un libro de música.

—Gracias por la aclaración, ese *puede* me intriga enormemente —dice María.

—Claro, todo se reduce a lo que se considere como libro —dice Francis con voz apagada.

—¡Exacto! —María eleva la voz triunfante—. ¡Exacto, ése es el *quid!*

—Pura metafísica, querida, pura metafísica —señala Giovanni.

—Francis tiene razón —aclara Alexander—, y Giovanni también —adopta actitud profesoral—. Veamos, ¿qué es un libro? Mejor dicho, ¿cuál es la esencia del libro, su Idea, su Ser? Ésa es la cuestión.

—¿Así, sin más? —dice intrigado Francis.

—¿Te parece poco? —señala María incrédula.

—El problema se reduce a una intrigante cuestión semántica —concluye Alexander llevando el vaso a la boca.

—Sigue siendo un problema metafísico —insiste Giovanni fijando la vista en cada uno de los presentes para terminar saludando a una pareja de jóvenes sentados en el extremo del local. Enciende un cigarrillo con solemnidad y cuando todos esperan una

declaración de principios, una aclaración pondera-
da, Francis salta con una pregunta:

—¿La lista de teléfonos es un libro? —dice inocentemente.

—Seriedad, por favor, seriedad —protesta Giovanni.

—Exacto, exacto —tercia Alexander—, Francis,
choca esos cinco, has dado un argumento de peso a
la interpretación semántica: a nadie se le ocurre llamar libro a un simple listín telefónico y sin embargo
ofrece información precisa, numeral, puntual, exacta, sobre un tema concreto producto de un trabajo
previo, informatizado, etc., etc., pero señores, a nadie se le ocurre, tampoco, llamar a la Compañía Telefónica editora del listín y decir: «Por favor, ¿me
envían el libro de teléfonos?».

—Argumento apabullante —señala Francis.

—Y sin embargo existe el Libro de Reclamaciones
en cualquier centro hostelero —añade con seguridad Giovanni—. Por cierto, Francis, ¿tienes el libro
de reclamaciones del Matusalén?

Giovanni sonrió mordazmente enseñando los
dientes. Francis ríe de buena gana mientras María
se desternilla de risa y la pareja del fondo lanza miradas furtivas de manifiesta incredulidad.

—Pero vamos a ver, vamos a ver —tercia Giovanni con voz grave en un intento de poner orden en la
discusión—, ¿es que un libro, la esencia de un libro,
para hablar con propiedad, se reduce sin más al
conjunto de un número más o menos grueso de hojas manuscritas o pergeñadas por cualquier proce-
dimiento?

Hay un silencio general. Francis se levanta y
atiende a unos amigos acomodados bajo el entoldado.

—¿Eh? —prosigue Giovanni—, ¿a eso llamamos

libro? Porque si no la discusión puede llevarnos por unos derroteros metafísicos abstrusos donde nada se nos aclare...

Hace una pausa, María y Alexander le observan con atención, parecen esperar un argumento fuerte que el tono empleado anuncia, pero Giovanni alarga su silencio, sonríe para dentro y cuando menos lo esperan añade:

—La esencia de un libro reside en la palabra, por lo mismo que la esencia de una biblioteca reside en el libro, o por lo mismo que la esencia de la palabra reside en su significado.

Mira al auditorio buscando una aprobación, Alexander y María asienten sin convicción, sin embargo Giovanni interpreta el silencio como un mandato para continuar y prosigue:

—Ahora bien, a propósito de esa ópera bufa escrita por María —y le dirige una mirada abstracta, indefinida—, se me ocurre lo siguiente: ¿cuál es su soporte, su apoyo principal? ¿No será acaso la palabra? Pero, cuidado —y hace una señal de advertencia con el índice—, cuidado, la palabra hablada, cantada, distinta desde luego de la palabra escrita, justamente la que soporta la hoja de papel del libro, el material bruto, la lámina ligera llamada con propiedad página, ¿no es así? ¿No tendremos que hacer una distinción fundamental entre esos dos modos de expresión?

—Parece evidente, en efecto —responde cauto Alexander.

—¿Y no tendremos que definir el cometido de esa palabra hablada?

—Cierto —responde María con interés.

—¿Qué te propones? —señala Alexander.

—Muy sencillo —Giovanni duda, cabecea, se lleva la mano a la frente, tuerce la boca y sonríe forzadamente—: Bueno, en realidad no es tan sencillo, ¿sabes?, sólo una mirada apresurada lo podría considerar de tal modo. Lo cierto es que es complejo. Bien, ¿qué me propongo? En dos palabras, recuperar la memoria oral de la tradición, la memoria oculta ya iniciada en los principios de la historia. Esa tarea, como comprenderás, no es tan sencilla. Ya ha sido intentada, y en algunos casos con buena fortuna, en otros, los más, hay que decirlo así, con ningún resultado. En fin, ése es el propósito, la empresa: la memoria oral, a mi juicio, es inseparable de la verdad, de la genuina manifestación del hombre; su relación con el pasado, y también con el tiempo, es clave para comprender la trayectoria de su interés y valor. Es difícil de entender para quienes han confiado durante toda la vida en el soporte de la escritura, para quienes están acostumbrados a olvidar, pero es cierto: hay suficientes factores y argumentos en juego.

—Acostumbrados a olvidar —repite Alexander.

—Claro. Pues bien, esa memoria a mi juicio obedece al fundamento de la tradición primaria enraizada en los pueblos más antiguos, preservada durante siglos hasta la imposición de la palabra escrita como la única capaz de englobar, parcialmente como veremos, a las múltiples formas de transmisión del pensamiento.

—¡Bravo por el Sócrates del siglo XX! —exclama alborozado Francis apareciendo en escena detrás de María y abrazado a una mujer a la que presenta como componente del grupo musical amenizador de la noche.

—Mónica, ésta es Mónica Furt... Furtwongert... Furt...wlan... —se hace un lío, balbucea, pero la muchacha termina por presentarse ella:

—Mónica Furtwängler, encantada.

—... Fuurrtt...wännn...glerrr —deletrea en un espasmo de sonidos Francis acusando el whisky de la noche.

—¡Un juglar contemporáneo! ¡Qué horror! —exclama con entusiasmo Giovanni saludando ceremoniosamente a la muchacha con una afectada reverencia.

—Siéntese, únase a esta agradable conversación sobre la naturaleza del alcohol y el olvido del tiempo. Siéntese... por favor.

El periodista había mantenido un digno y serio silencio durante la velada, pero después de un aparte con Alexander, interviene con voz aflautada:

—Os quiero hacer partícipes, si me lo permitís, del enorme placer que he experimentado hace unos momentos: habéis hablado, en verdad con ponderado juicio, de las vicisitudes del libro. Del Libro con mayúscula, por supuesto —tose, y Giovanni con un gesto elocuente inquiere de Alexander toda su atención hacia el periodista—. Permitidme —prosigue Miroslaw— que os ofrezca mi modesta opinión. De acuerdo con Alexander, a quien he de considerar desde estos momentos un huésped exquisito en esta ciudad a la vez que un amigo, sin la palabra, sin el signo, serían imposibles ciertos modos de vida, él da la llave para actuar sobre el mundo. Y a propósito de Eduard Verne, de digna memoria en estos días, reconozcámosle el conocimiento que tenía, tan bellamente expresado en sus libros, de ese mecanismo por el cual la escritura podía trastocar el *sistema de poder*, dejar en suspenso su activa y nefasta influencia —Miroslaw Pauper tose de nuevo, carraspea sin levantar la vista—: Se habla, y a menudo se pone de

121

ejemplo, de la leyenda de la creación de la ciudad, de la Ciudad como centro de poder, con mayúscula, génesis de la convivencia y de la discordia, tanto de la angustia como de la libertad, construida a raíz de la escritura —ahora sí, reposa la vista en cada uno de los presentes para detenerla en Alexander—, precisamente realizada en función de un ideal que sólo la palabra podría dignificar e interpretar. Pero hay más, la palabra puede servir para emular al artífice máximo, al arquitecto más excelso, y entonces contraviene las normas de su creador: microcosmos individual, cosmos de la imaginación y la fantasía, la escritura deviene referencia de las más sublimes aspiraciones del hombre...

—Miroslaw... —interrumpe Giovanni—... Miroslaw...

—...que llevó a nuestro querido Verne a escribir lo que os leeré con sumo agrado —introduce la mano en un bolsillo interior y se hace con una ficha—: «Al final de la vida encontrarás la palabra que te abrirá las puertas del Paraíso».

Se sentó, dio unas cabezadas de agradecimiento y juntó las manos. Hubo un silencio tenso que nadie parecía querer o saber romper. La muchacha de la orquesta soltó unas risitas, más producto del alcohol —eso quisieron creer los convidados— que de las palabras mesuradas del periodista, momento aprovechado por María para interrogar a Miroslaw:

—Los críticos han considerado a Verne como un innovador, no tanto en cuanto al estilo como a la novedad de sus respuestas a los problemas.

—En efecto, pero no es mi posición. En las últimas obras parece inclinarse más ante una actitud escéptica no presente en modo alguno en sus obras primerizas. Sobre todo después del atentado de Berlín...

—Hipotético atentado —precisa Giovanni.

—De acuerdo, de acuerdo, pero habrá que esperar a la investigación biográfica.

—Ese extremo me interesa sobremanera —Alexander se inclina hacia adelante—, ¿sería tan amable de informar más sucintamente sobre el atentado?

—Oh, usted verá, barrunto el móvil de la ortodoxia...

—No comprendo —dice Alexander ante el silencio del periodista.

—Usted sabrá disculparme. Es difícil de explicar. Se mantienen varias hipótesis, la más verosímil se inclina a creer que Verne en sus años juveniles pertenecía a la Sinagoga de Amsterdam, y que a raíz de un enfrentamiento con sus directores, y después de mantener varias audiencias con ellos, su rebelión adquirió caracteres de todo punto inadmisibles para las máximas autoridades... En fin, a partir de aquí las conjeturas pueden llevarnos a extremos que falseen totalmente los hechos, incluso el pensamiento de Verne, usted comprenderá, pero... poco más puedo decirle. Tal vez el Congreso nos aclare algo... o Giovanni... si tiene conocimiento directo...

Capítulo 14

*Este nombre de mundo tóma-
se de movimiento et de muda-
miento, porque el mundo siempre se mueve et siempre se
muda et nunca está en un estado, nin él ni las cosas que están
en él... et por esto ha este nombre.*

JUAN MANUEL, *El Conde Lucanor*

Sucedió en un instante, casi sin percatarse de la
repentina resolución tomada: la voluntad olvidó las
dudas que la habían atenazado y en un instante, decidido entre un millón de elecciones, Alexander se
levantó del asiento, se acercó a María, le habló al
oído y se alejaron por la senda oscura y silenciosa
del río. No se percató del silencio de la mesa, ni de la
expresión de asombro de Giovanni, ni desde luego,
de la repentina determinación, no reflexionada, tan

sólo intuida cuando la muchacha pareció consentir su provocadora decisión.

Palpitaban todavía las palabras de Giovanni, las de ella y el diálogo mantenido hasta ese momento, cuando Alexander y María cruzaron el puente, el camino recorrido pocas horas antes por el hombre, mientras en la mente de la muchacha rebotaban diálogos y voces, preguntas y miradas dirigidas imaginariamente a un Alexander que buscaba en la muchacha la respuesta a sabe Dios qué preguntas.

María se dirigió a Alexander:

—Esa conversación puede reproducirse casi al pie de la letra, por supuesto si te interesa: él se encargó de confiármela cuando nos conocimos. Desde luego ya la habrá enriquecido con nuevos detalles y experiencias. En aquella representación, y creo que fue idéntica a la que tuvo ocasión de asistir ahora en Amsterdam, Giovanni adoptó un cierto aire interesante. No era difícil en él: conocía las artes de la seducción, fundadas en los múltiples registros de su voz, como ya puedes imaginarte sin gran esfuerzo.

—Sí, ésa es una de las cualidades de su particular encanto. Sin embargo nunca hablamos de teatro en profundidad...

—Bien, es posible —replicó con desgana María—. Pero en una cosa estaba de acuerdo con él. Verás. En un momento de la conversación yo expresé cierto asombro y actitud de reprobación, fue cuando él se explicó en los siguientes términos: «Veamos —me dijo—, no pienso en la particular opinión que puedas tener sobre *Alicia*, pero permíteme que exprese mi severa censura sobre la ofrecida por ciertos críticos, particularmente la de un conocido crítico». Se refería a Verne —añade María—, confío en que sepas disculpar la intromisión en el recuerdo de un amigo querido a todos nosotros. Giovanni bajó la cabeza con sentimiento para añadir: «A decir verdad, tengo una opinión muy distante de la suya. Y he tenido ocasión de conocerla de su propia voz en el transcurso de interesantes y largas conversaciones».

—Prosigue —dice interesado apremiando a María—. En aquel entonces tú aún desconocías a Verne, ¿no?

—Por supuesto —respondió María—, no llegué a conocerlo hasta que se afincó en M... pero no te adelantes. Es lo que me propongo explicarte. Además, la representación a la que Giovanni tuvo ocasión de asistir reunía todos los ingredientes para asimilar en profundidad sus múltiples registros y posibilidades.

Y Alexander, después de observar el rostro de la muchacha, se imaginó a los dos amigos en el salón del teatro y a Giovanni iniciando su interpretación. Alexander no dejó de observar en la voz sosegada de la muchacha una emoción palpitante y desconocida hasta entonces, quiso entrever en el breve monólogo un falso sentimiento de admiración, provocador, también una cierta inquietud. Giovanni habló, pues, en la noche; poco antes, o tal vez ahora mismo, estaría relatando la historia en el Matusalén, cuando los murmullos de las mesas vecinas anunciaban la caída de la noche, la pronta recuperación de las horas del amanecer. También la noche despojaba a los cuerpos de euforia, de intranquila inocencia, de atención. Pero Giovanni habló, en la boca de María, por supuesto:

—Los actores, pues, si así pueden recibir ese título, estaban preparados, entrenados, conocían los trucos, las reglas de sus diferentes números. No ha-

126

blaban, tampoco producían sonidos, no entendían sino lo que debían entender y se les había enseñado durante duros entrenamientos. Y el público se deleitaba desde las butacas, se excitaba ante los rostros herméticos, ante las máscaras humanas, aplaudía, deseaba su satisfacción; comprendía el encanto de las formas y maneras de llegar a reflejar sus más ancestrales deseos.

—Ése es un sentimiento de lo más respetable —exclamó Alexander.

—Tal vez, pero no avances ningún juicio. Esas máscaras engastadas en cuerpos febriles bailando en movimientos circulares, largos y lentos en su desarrollo, esos rostros impenetrables, no comprendían las reacciones del público... No lo entendían. Pues entre sus cometidos no figuraba el de razonar sobre ello, no era su función, no estaba establecido; y ningún actor había sido entrenado para ello, para ese arte. Nadie, ni menos quienes les dirigían, desde luego, les habían procurado ninguna de las técnicas para alcanzar tal fin. Es más, y Giovanni había tenido ocasión de confirmarlo con los propios intérpretes, gracias a sus buenas influencias, los ensayos eran precisos, duros, distinguidos por la aplicación estricta de tales principios: no cabe, en suma, ninguna intención de espontaneidad, de fantasía no prevista con anterioridad. Por lo demás, después de haber sido estudiada por quienes les dirigían, ellos se encargaban de procurar a la pieza el sentido último que debía tener. Incluso no es posible hablar de autor y público, al menos tal como se conciben en nuestra época. «¿Entonces no cabe tampoco el sentimiento?», le pregunté. Giovanni no me respondió, concentrado en su relato siguió hablando sin escucharme, estoy segura:

—Así pues no es que la representación adolezca

127

de ninguna de las artimañas, permíteme el empleo de esta palabra tan descalificadora, no es tanto la ausencia del sentimiento, la cual por cierto está presente, como la sustracción del soporte escrito lo que da a los actores la posibilidad de inducir en el público otro tiempo, otro tipo de elementos distintos a los clásicos actuales. De modo que... —María se detiene, se encuentra con el silencio expectante de Alexander.

—¿Qué sucede? —acierta a decir.

—No es ninguna persona la que habla o dirige las acciones —prosigue María—, o mis acciones. Según Giovanni podemos decir, por extensión analógica, que es la palabra, el Verbo —afirma con convicción—, la encargada de soportar el discurso, ella dirige los actos, está vigilante al amparo de su misteriosa presencia. Recuerdo que Giovanni levantó la vista, hasta ese momento fija en algún perdido lugar de la mesa, y me miró con extrema seriedad. «Quizá te embargue la duda, advirtió, tal vez no te convenza de ello —y María observa el semblante de Alexander—, pero en verdad es ella quien dicta los pensamientos, distrae al protagonista de otros quehaceres, le obliga a enmendar sus movimientos y en última instancia inquiere su juicio para, según su libertad, concederle o sustraerle la razón.» «¿No hay libertad?», le pregunté dubitativa. «Mejor sería hablar de vigilancia controlada», respondió.

Alexander desconocía el misterio de su decisión, la ocasión en la que casi violentamente se alejó de la oratoria de Giovanni, de sus disquisiciones sobre el Verbo y la tradición escrita, sobre el alcohol y la dialéctica de la palabra. Tan sólo palpitaba en su boca una palabra, un sonido, y cuando detuvieron sus pasos en la vereda del muro de la playa sus brazos se posaron suaves en los hombros de la muchacha y fue suficiente una mirada para que María comprendiera las razones de Alexander.

Ninguno de los dos sospechaba las redes en las que habían caído, la hondura de la fisura creada en ese momento. Y Alexander no reconoció ante la muchacha la razón última de la decisión que le llevó a presionarla hasta ese extremo. No hubo reproche, no hubo palabras de enojo, María contempló impávida el mar refulgente por la blanca luz lunar, esperó a que el silencio cubriera las fisuras de su conciencia, llenara las esquinas de las dudas y Alexander se decidiera, desde sabe Dios qué desconocidas latitudes, a entregarle el secreto de su mente.

Y Alexander, mudo ante el reflejo de sombras invadiendo la arena, cercanas las voces y luces de neón del Matusalén, escuchó a María, al principio lejana, entremezcladas sus palabras con el ruido del mar, envueltas en la brisa y la tibia noche, pero claras y precisas, disonantes en el entramado creado por su mente: «Te hablaré, Alexander, te explicaré, pero no me presiones, te daré lo que pides, tan sólo una palabra, te daré lo que nunca has visto, lo que nunca has pensado, pero te arrepentirás de ello, te lo aseguro».

Y entonces comprendió. Fue un rayo, un signo desconocido hasta entonces, una metáfora luminosa, una cadencia sinuosa, una vigorosa e insoportable lucidez en el anochecer mediterráneo. Estaba ahí, palpitante y emblemática en el centro de la frente, queriendo despertar del letargo, como rama dorada tendida en la conciencia de quien la desease, llave del misterio de los últimos días, sensual música deleznable y encantadora a los sentidos. Estaba ahí, en la boca de María, lúcida e inquieta como una palabra sagrada, ante los ojos: ella, la llave del *scrabble* demoníaco, del fuego fatuo, inocente y exe-

129

crable. «Maldición, estaba escrito, eso es, olvidado, pero escrito. Iluso de mí, pensó Alexander, creído de mi sagacidad la había ignorado, enterrado como única posibilidad de desentrañar su misterio.» Así es, Alexander observó a María sobre el fondo de M..., había hablado, le había señalado la senda a seguir, la ruta, había sido suficiente una palabra y la historia había tomado otro rumbo.

Capítulo 15

María se quedó dormida. Alexander observa el
leve palpitar de los árboles junto al campanario. La
Biblioteca Al-Jahbah sigue ahí, estática, sin vida
animada, perpetua y eterna en el recoveco del pueblo, inerte a las sospechas bullendo en la cabeza del
hombre, ahí, en la esquina de la encrucijada de calles, bajo el cielo iluminado. Con el horizonte del
mar palpitante en la embotada cabeza del alcohol
—«¡Maldito brebaje alemán!»—, sus ojos entran con
dificultad en el angosto sendero-embudo de M..., laberinto a esas horas si decide regresar al apartamento.

Duda. Entretanto el cuarto va quedando en penumbra, una sombra inquieta los cortinajes del ventanal de María. Giovanni ya es también una sombra

131

en la memoria, en el valle cercado por las estrellas, ciego en la noche, como él, bamboleante por los sonidos y la tensa expectación de los cuerpos en el Matusalén, un recuerdo, un pasado imperfecto a punto de extinguirse.

Ha entrado en el cuarto, inquieto el corazón a punto de rasgar el secreto de un furtivo deseo ansiado y comprensible tan sólo por su mente. El cuarto en sus sombras ahoga la visión; oye la respiración de la muchacha, intermitente, pausada, como si a cada golpe de aire expulsara de su pequeño cuerpo toda la fuerza acumulada. ¡Qué ojos tan bellos! Sonidos de noche acompasan el corazón de Alexander, el movimiento del mar roza las olas con fuerza más allá de la dársena, más allá de M..., en las sienes cercanas a María. Se fue acercando en silencio a la mano extendida, reposada en el extremo de la noche, presente a sus ojos, querida a su mirada, dejada involuntariamente a su caricia, suave mano dispuesta al beso, al deseo, rodeada de la visión ensoñadora de imágenes, ligera, frágil, envuelta en el misterio del ser, de él, tímida como la suya, palpitante en el acercamiento, palpitante la mano alejada todavía de la que rozará para asir y sentir la carne.

Mano envuelta en el cerco de la suya, en el misterio de sus ojos cerrados al roce seguro y certero, al proyecto de arrancar el oculto secreto del ser.

Tiembla la mano en un preciso instante, se mueve aprisionando con debilidad la de él para despertar del ensueño; el contacto despierta entonces la necesidad, la hace consciente, acaricia la caricia, es mano que asiente ante la otra, la quiere y la desea, conoce su perfil, su pesadez, su debilidad, su entorno. El roce de los dedos mide el límite de su forma, se extiende y alarga la figura de la caricia. Los ojos se abren, reciben la luz, el cuerpo y el rostro se yerguen, la mano aprisiona, desea conocer en su densidad esa necesidad, esa atracción, la medida de la distancia limitada por el contraluz del ventanal, por el territorio de luz rebotada en las blancas paredes, en las borrosas formas de las cosas. Las manos van recibiendo el color del blanco, la luz de los ojos, el beso y el cabello. Entonces ya es mano que detiene el tiempo, une las miradas, los labios, el rostro, el espacio, mientras intenta entrar en él.

Siente lentamente la caricia del cuerpo y se acerca ya a la mirada caída sobre el sopor suave del rostro, ya a la ropa desprendida en un instante calculado sobre el infinito de palabras sin sentido, alejadas de significados concretos en el cuerpo deslizado bajo el cuerpo. Rumor susurrante que pide en las manos entretejidas en el cabello el deseo de nada y de todo, de cada parte alertada por el placer que gira en movimiento como respuesta lanzada al vacío de la mente, lanzando los ojos sobre el recorrido sudoroso que exige un puente lento, pausado milimétricamente igual que el enorme río sin horizonte ni cauce mayor; más allá del placer delimitado por los cuerpos, abandonando sonidos queridos y deseados por la conciencia, presencia a distancia, abrazo caído sobre la espalda, besado y rasgado por la boca, retorcido puente perdido ya, iniciado mil veces y remitido otras, cuerpo en cuerpo, mano en mano, beso en beso, mano suave abierta al rostro y a la piel y que atraviesa a la otra. Olvidados del mundo la voz camina sobre la piel, la boca exige al otro, las voces reciben la caricia del deseo, las manos sobre el rostro velan los ojos a la mirada de la conciencia, vacía ya de la norma, ojos cerrados, ocultos, perdidos en el fondo de él, hundidos en ella, en él. Son cuerpos, cuerpo de él con ella, bola infinita que rueda y se hincha, gira y vuela, se pierde y avanza en el torbellino del abrazo tembloroso que ya vislumbra la mar; hundidos en su interior la voz emite el color, la mirada recibe el susurro, las manos suaves rozan al otro sin poder, sin moral, sin luz, sólo con el tacto quedo y torpe de la vez primera, repetitiva vez, renovada en el infinito, descubriendo nada y todo, calor y frío, nervio y melancolía, poder y fuerza, entendimiento e inconsciencia; roce sentido como la mirada rebotada sobre el rostro, sobre los ojos, sobre el cabello, sobre el pecho, sobre el ser, rebotando las olas de la rueda intermitente, para retornar al abanico del deseo acariciado en un golpe repentino de las sienes dormido sobre la boca de ella reposada en su dormida mano.

Capítulo 16

Et vidi: et ecce manus missa
ad me, in qua erat involutus li-
ber, et expandit illum coram
me, qui erat scriptus intus et fo-
ris, et scriptae erant in eo la-
mentationes, et carmen et vae.

EZEQUIEL, 2:9

No sabe si fue el paisaje informe, marrón, desér-
tico en su visión, o la luz tenue, casi de antorcha,
desprendida de la forja del arco, la que le produjo
melancolía. Pero cuando dejó detrás de sí a la muchacha, su imagen siguió latente en la retina como
si de un resplandor se tratase. Deslizó la mano sobre
el lomo del libro, ya en su cuarto, repasó sus costu-
ras agrietadas por el uso, para percibir táctilmente
el paso del tiempo, incluso los grabados ocultos en
el interior y que él, reprimiendo vagos deseos, acarició con timidez, en verdad sincera, engañándose con

premura, es cierto, por aplazar el encuentro con las imágenes desplegadas en su interior: se trataba del cuaderno entregado por María en el escrupuloso silencio de la noche.

Pero sucedió lo que él ya no deseaba, y sin embargo había temido: el encuentro con la seca aventura de los deseos cumplidos, aun sin haber hallado la clave, ese momento material al que en contadas ocasiones se tiene acceso y produce el estado de felicidad anhelado en la investigación, en el proceso previo al descubrimiento. Lo había encontrado —¡y cómo añoraba ese estado!— cuando lo de Montgu, tal vez con Beatriz, cuando en el viaje a África descubrió el crepúsculo tenso y tierno de la muerte sobre la selva. En contadas y breves ocasiones había vivido físicamente la aventura, la situación límite de encuentro con la libertad.

Y el libro entre las manos respiró intranquilo en su enorme densidad ante los ojos de Alexander. Fuera o no él quien transmitiera la inquietud al cuaderno, la luz amarilla iluminó los caracteres de la página: una palabra aquí, otra allá, una símil y parecida apariencia de orden establecido, de letal silencio impuesto por quien las creó; letras móviles, baile de ramas y flecos negros dibujados y ensamblados primorosamente. Un instante más tarde plegó las páginas, presumía con seguridad que tal decisión provocaría en él el desorden deseado: es decir, asumir la fatiga de buscar la memoria de los últimos acontecimientos.

Recordaba perfectamente la conversación con María, cómo en una inusitada decisión ella le había entregado el manuscrito que refería los últimos momentos vividos por Eduard Verne antes de su muerte.

Se encontraban en su apartamento, habían llegado después de recorrer el camino del silencio, cada uno de ellos pensando en los momentos que les llevó a tomar la decisión singular de marchar de la reunión.

—No es fácil de explicar, ¿sabes? —dijo María, ya más relajada—. Además, por Giovanni siento un afecto especial, un enorme respeto intelectual, y cuesta comprender ciertos actos, incluso aquellos provenientes de las personas más queridas y allegadas.

Bajó la cabeza con pesar, Alexander comprendió la presión a la que, sin proponérselo, estaba sometiendo a la muchacha. Intentó suavizar la tensión.

—María —dijo con firmeza—, la comprendo, me hago cargo de sus motivos, incluso de los sentimientos, créame, aunque sólo fuese por nuestro respeto y amistad hacia Giovanni yo aceptaría sus condiciones. Pero ahora no me lo pida, no podría, es superior a mis intereses...

«¿Por qué una conversación, inmersa en un dulce y tenso fondo de recelo mutuo, había derivado hacia un terreno inestable, paradójico incluso? —pensó Alexander—. ¿Es que se pueden elegir aquellos caminos, cualesquiera que sean, aunque ocasionen un daño infinito, si con ello se alcanza el fin perseguido?»

Pero sus dudas pasaron a un segundo plano cuando las manos se encontraron con el manuscrito de María. Anhelado, desconocido, imprevisto regalo pocas horas antes, Alexander rozó levemente las guardas rugosas mientras fijaba su vista en la mirada de la muchacha.

—Alexander —la voz de la muchacha llegó sinies-

137

tra y dura a los oídos del hombre—, usted tiene un método, un simple y exquisito modo de analizar las circunstancias. Bueno, en realidad no le conozco lo suficiente, pero eso son detalles al margen —la muchacha hace una pausa, le cuesta trabajo hablar y Giovanni no es ajeno a ese sentimiento de inestabilidad en la voz de María. Pero a continuación añade—: Desconoce la vida de este pueblo, incluso la de Eduard, la que llevaba, por supuesto, y no quiero hacerle daño, es cierto, pero mi consejo es que se marche —mira al hombre fijamente, casi con reproche—. Se lo dice alguien que ha visto en el brillo de su mirada un interés que terminará por perjudicarle, por absorberle hasta extremos que ni sospecha, se lo aseguro sinceramente: márchese.

Alexander no puede detener la máquina absurda de pensar sobre el manuscrito. Lo había leído rápidamente, en primera lectura, pasando las páginas incapaz de comprender cómo podía haber desconocido ese texto conociendo a Giovanni, siendo amigo de quien había sido amigo de Eduard. Lo formaban una treintena de páginas encabezadas por un título en apariencia provisional: *Borrador. Eduard.* Había una fecha, pero estaba tachada en otra clase de tinta. Por lo demás estaba escrito con letra cuidada y desconocida para él. Más parecía tratarse de un informe, de un documento oficial, que de un simple borrador o anotaciones al hilo de acontecimientos.

Pero quedaba en la nebulosa corriente de las ideas la imagen de la muchacha ofreciéndole el texto, advirtiéndole los riesgos de entregarle ese preciado tesoro, esas palabras desconocidas por quienes más deberían saber apreciarlas, exigiéndole su devolución al bibliotecario cuando finalizase su lectura. «¿Por qué a Mario?» «Es de confianza», fue su seca respuesta.

—Debo escribirla —dice con firmeza Alexander acercando su rostro al de la muchacha—, ¿no lo comprendes? Debo escribirla. ¿Cómo es posible concebir tan elocuente artimaña sin que la pluma resbale y en cada palpitación una palabra descubra la razón de la muerte de Verne?

—No lo intentes, no te extravíes. ¡Oh, Dios, Alexander! ¿No lo entiendes? No me dejes hablar, no permitas que tu mente delire y forje semejante engendro. No caigas en el error de crear una historia de horror donde sólo la literatura sirva para reflexionar sobre la vida de unos personajes tan reales como tú o como yo. Ellos existen, están ahí, desnudos, es cierto, a merced de los demás. Pero si intentas aprovecharte de su gris existencia y concibes otra te maldecirán, Alexander, te maldecirán. Deja al destino construir el muro, no lo hagas tú. No hay literatura, tan sólo un indefinible río de palabras y una absurda y laberíntica mente hilando y deshilvanando al conjuro de un organigrama paradójico.

—Tú lo has dicho —responde Alexander—, azaroso e indefinible río. O mejor: mar de incógnitas. Sea así, sólo por ello vivo, por algo tan real como los personajes creados por la mente, aunque sean tan absurdos como ellos. ¿No te he inventado, según tú? Pues a ellos los inventaré tal como desean ser, tal como deseé que fuesen, así llegaré a ser su creador, su elegido y anónimo demiurgo, su Yahveh si así lo deseas.

—Me recuerdas a Giovanni —dice María enojada.

—Sin embargo ayer no pensabas así —le reprocha Alexander.

—Es posible, pero ¿qué importancia tiene eso ahora?

—Ninguna quizás —responde de mala gana el hombre.

Pero ella, María, tenía la idea —recuerda Alexander en la soledad siempre añorada de su cuarto— de que lo misterioso, lo mágico y lo atrayente de las palabras se encontraba en el inagotable universo creado por ellas. Alexander entonces consideraba esa idea, expuesta en boca de la muchacha, cuando menos peregrina, si no gratuita. Pero María, no sin cierta ironía e inteligente escepticismo, esa noche le había expuesto su particular parecer. Ella denominaba a ese universo el silencio de las palabras, expresión, decía, más poética, aunque esa evidencia, señalaba vehemente la muchacha, no debía imponer ni miedo ni temor hacia ellas, las palabras, antes al contrario debía provocar la búsqueda pertinaz del soporte necesario, del impulso por excelencia capaz de alcanzar la belleza y lo absoluto, es decir, acercarse y no sólo rozar la perfección; en el límite, decía, se encuentra el arte.

—El ideal humano —recuerda Alexander la voz temblorosa de la muchacha al citarle a Eduard— es por lo tanto la quietud, el estado de abandono de sí mismo y del exterior, estado sólo alcanzable en su máximo esplendor, escribía Verne, cuando sucede a la creación artística.

No sin cierta ironía y después de hacer un alto en su monólogo, María le confesó su dependencia en alma y cuerpo hacia ese silencio, caótico, trágico, pánico, decía bajando la vista.

—Es un abismo —comentaba sin ningún pudor ni envanecimiento—, un enorme y angosto vacío donde lo trascendental reside en la imperfección, en la continuada búsqueda de la palabra absoluta interrumpida tan sólo por la pérdida del aliento.

Para añadir a continuación, pensativa y abstraída de la presencia de Alexander:

—Todo lo que es materia, cuerpo, carne, es palabra, palabras. ¿No lo crees así? —preguntó con sus enormes ojos al hombre silencioso en el fondo del asiento.

Pero Alexander no se atrevió a responder, amaba demasiado las palabras como para hablar de la realidad de su mundo, como para entregarse de improviso a la tarea de indagar en ese silencio mágico.

—No temas —dijo en un momento preciso de la noche, cuando Alexander se había abstraído en la realidad del manuscrito, en el recuerdo de Eduard, de Giovanni—, no temas, existen los sentimientos, los actos, las pasiones, pero por encima de ellos están las palabras, alma vital, almas dependientes de nosotros, herramientas en cuyo interior se encuentra la razón de su existencia, la posibilidad de dar vida, aunque también la de conceder la muerte. Disculpa, ya es tarde, y estoy cansada.

Se levantó. Le dio un beso en la frente y se ocultó en las sombras del cuarto. Alexander aguardó unos instantes más, bebió de la copa dejada por María, y cuando cerró la puerta la muchacha ya estaba dormida.

Capítulo 17

Al día siguiente Alexander visitó la Biblioteca del distrito, tal como le había recomendado Roger Burton y aconsejado María. En una tarde soleada encajada entre los ventanales enrejados de la sala de lectura, leyó tres libros señalados por el destino como lecturas propicias. No se los entregó el azar ni siquiera el gentil bibliotecario que atendió su petición; si el encuentro puede con justicia ser considerado fortuito (no es así pues figuraban en la biblioteca de Verne, como se lo había indicado Burton), la búsqueda aun siendo inconsciente ya anunciaba el desenlace; y el tiempo, árbitro sin medida, aplazaba ese encuentro. Deseaba encontrar las presuntas relaciones literarias de Verne, sus influencias. Era más bien una apuesta fundamentada en una estricta intuición. Además, un libro, se ha escrito, es una espera que anuncia al lector, y sólo Dios sabe cómo se anhela lo desconocido, aquello que los recovecos de los años aplazan desde las intrincadas sendas de los pensamientos. Un libro, en ese instante y para Alexander, es más una delicada promesa que una remota memoria de lecturas olvidadas. Pues en verdad los tres son conocidos de hace años y tan sólo un ordenado fichero ha permitido su recuperación.

Lee Alexander, por lo tanto, en la acogedora Biblioteca de M..., tres libros de distinto interés. Uno de ellos los *Ensayos* de Montgu, libro despreciado por la historia y del cual él siempre se había enorgullecido de recuperar al haberlo olvidado al azar de las letras y al capricho de las lecturas. Encontrar, y al cabo del tiempo, es una forma de descubrir, de alcanzar el centro del misterio; y reencontrar es revivir el proyecto novedoso, alterar de algún modo la voz sosegada por los años. Además —y Alexander no tiene ningún tipo de reparo en pensar así, al amparo del tranquilo, gozoso y habitual lector vecino de pupitre—, el libro entregado por el bibliotecario, aun leído ya y olvidado, no será el mismo. Ésa es la confianza eterna siempre suscitada por las palabras. A menudo, puede pensarse, se encuentra aquello que se había olvidado, y oculto entre las sombras se descubre el deseo aplazado, latente, impregnado de imágenes encubiertas por las repletas conciencias de una sala de lectura alumbrada con mortecinas luces. Montgu significa, pues, el fin de uno de tantos aplazamientos.

El filósofo judío habla de sí mismo, sin petulancia

ni vanidad por descubrir la sabiduría. Habla, es decir, expresa el sentimiento y la emoción intelectuales mediante la palabra. Ya es suficiente: se arriesga a ser leído, por lo tanto a ser interpretado, a sabiendas, como él mismo reconoce, de que sólo quien confía a un libro sus secretos conocerá la amargura. Él conoció la recompensa, el sabor agridulce del olvido o el malentendido de su época que le entregó a una causa cuya fe le dio la espalda. Consciente de la incongruencia de vivir aceptó lanzarse a la búsqueda del sinsentido. Y tan enorme paradoja asumida como la consecuencia de su injustificada existencia le llevó a la búsqueda de su propia actividad de escritor, reducto del sentido de la existencia inexplicable. Ya es suficiente haber elegido: en un mundo roto escribir es una necesidad, no una cortesía, ni siquiera una impostura. Quien no lo considere de ese modo rozará el perfil amargo del error. Además, Montgu —para los ojos de Alexander— cree a pies juntillas en el castigo, en la pena para quien hace de su pluma una profesión al servicio de intereses mezquinos. No es poco, de ahí a creer en la inmortalidad de la palabra no hay más que un paso. Y ése es el que dio Montgu. Producto humano, la palabra sobrevive al escritor desde el vértigo de la muerte. Enorme placer, pues, el destino del libro, objeto viviente y testimonio de vida. Respetada, la palabra inmortaliza tanto al hombre creador como a quien la recibe.

Desde luego Montgu fue, en la inocencia de los primeros balbuceos literarios, quien descubrió a Alexander esa palabra temblorosa y débil, escondida en la extraña y mágica fortaleza de la tradición.

Pero todavía no ha abierto los libros. Una mirada circular y con el rabillo del ojo le presenta al enjuto

144

lector vecino absorto en la lectura de un libro de pastas enormes y miniadas; más allá, en el mostrador, Mario, el bibliotecario, ordena el fichero, le ha saludado con cortesía, incluso extrema, cuando se presentó en la Biblioteca. Le agradeció la visita y le entregó esos tres libros prometidos para sorpresa de Alexander. Quedaron en hablar poco antes del cierre oficial de la Sala.

En verdad, el libro de Montgu palpita delicadamente, pequeño él con sus guardas rojas, sobre la tarima, recubierto de una fina capa de polvo acumulado por los años de estancia reservada y reposada. Si cronológicamente fue el primero al cual tuvo acceso no es menos importante el de Edward Wells. Pero ya es sabido que cada libro admite dispares lecturas, múltiples disputas, así como un orden racional o lógico acaso caprichoso, incluso azaroso en su interpretación, sin menoscabo de un evidente y singular valor para cada lector. Por lo tanto las primeras impresiones de Alexander antes de acceder a la lectura son producto del recuerdo desprendido de las célebres pastas rojas. Aunque teme encontrar no tanto decepción como un nuevo y agrio sentido aplazado y dormido capaz de producir desazón, alterar el centro de gravedad, esa tendencia, al decir de Platón, que tienen todos los cuerpos semejantes a congregarse como *inclinatio ad simile*.

Se regocija en el asiento, alcanza el estado casi perfecto y sublime de bienestar. El vecino lector levanta la vista por encima de las lentes, otea el horizonte vacío sobrevolando las lámparas amarillas para detenerse en Alexander distraídamente. Por unos segundos las miradas de ambos se alejan de los libros y cada una va al encuentro de la otra trazando imaginarios puntos de referencia. Alexander observa un presunto saludo del hombrecillo, un rápido movimiento alternativo de su cabeza, pero el desconocido lector se zambulle al instante en la aplicada lectura. Cuando la vista encuentra sosiego y renovado descanso en el pupitre Alexander todavía se resiente de esa mirada.

Recuerda que se sabe muy poco de la vida de Montgu. Es conocida su temprana muerte, aunque los biógrafos apenas se han puesto de acuerdo en un par de datos personales. Él mismo ha recogido pocos testimonios que abran luz en las tinieblas de su personalidad juvenil. Aparte del lugar y fecha de nacimiento, y alguna mención familiar (su madre profesora de lenguas clásicas, su padre, comerciante judío) su vida es una incógnita en la república de las letras. Queda, como postrer y misterioso testamento, el libro objeto de la visita de Alexander a la Sala de lectura, *Historia de ingenio,* acaso, junto a una mínima correspondencia personal, la única y solitaria herencia de quien ocultó su imagen recubriéndola del mágico poder de la palabra. Han tenido que ser el azar y el destino los que, con su alianza, depositasen en ese libro el diálogo negado en vida. Montgu muerto, pues, habla no tanto de él como de sus contemporáneos, o más bien, piensa Alexander contemplando el forjado de cinc del ventanal, habla el libro en frases significativas, al señalar con sus ecos la modernidad de un pensamiento impregnando de belleza la vida de los libros.

Montgu escribió: «La vida es un laberinto de palabras a descifrar por cada hombre». La sentencia recogida por Edward Wells en el segundo libro solicitado por Alexander, *The Life of Words,* descansa en sus manos en esos momentos. Curiosamente con ella retoma Wells el diálogo entre libros dispares. Se puede decir, con seguridad, que no fue escrita al azar, no en vano la casualidad sólo ofrece luz a quien la busca con pertinaz paciencia; más bien habría que inclinarse, a la luz de su biografía intelectual, a considerar tal sentencia inseparable del esfuerzo por comprender los propios enigmas. Se conoce mediante las palabras, advierte Wells, se vive no en función de ellas, sino merced a su sentido, concedido en la medida en que se ha puesto en ellas la impronta humana. Nombrar es por lo tanto hacer existir al mundo, desprenderlo del halo de neblina que cubre y envuelve la humanidad, reducir la insoportable distancia y alejamiento de los destinos individuales. Nombrar, en última instancia, es asumir el mundo de las palabras, mundo inacabado, nunca circular o cerrado. Sucede a menudo el hecho de contemplar ese mundo no desde la fe en sus partículas vivas y elementales, las palabras, sino desde el inhóspito de la ignorancia, de la ceguera, y no se recurre a otras relaciones donde la figura creada llegue a establecer geometrías con el mundo de la fantasía y la imaginación. «Entrar en su vida es acceder a la belleza», escribe Wells con seguridad. Frase feliz, tamizada de ecos clásicos, con la que el escritor parece querer asumir, más allá de un presumible idealismo, la relación de quien desea establecer firmes y mágicos lazos mediante las palabras.

Alexander recuerda con agrado la primera impresión recibida por esa frase: «La vida es un laberinto de palabras». Hay muchos laberintos, se ha escrito sobre ellos con mayor o menor precisión, con más o menos ingenio o imaginación. También se han descrito muchas de las clases de laberintos. Algunos pretendidamente falsos, otros metáforas de situaciones extremas y sin salida. Pero la idea de laberinto resulta cercana a la búsqueda del sentido de las cosas, por extensión a la de la vida. De ese modo

147

«laberinto de palabras» se enmarca en el mundo del lenguaje, más allá del cual se situaría el de la fantasía, el de la imaginación, al cual sólo se accede desde el mundo de la realidad, mediando los múltiples y dispares lenguajes.

Pero cuando se habla de las palabras se delimita un círculo interminable, cual anillo de Moebius desarrollando la estela de sus infinitas vueltas. Y cuando se señala la infinitud del mundo de las palabras se demarca el campo de actuación, la posibilidad de crear mundos particulares, microcosmos autónomos, mundos literarios derivados de la inspiración de quien los crea. Inspiración, al decir de Wells, a menudo considerada trasunto de un arquetipo existente más allá de la voluntad, cual traslación de la figura a la representación de la imagen ofrecida por las palabras. Tal esfuerzo lo alcanzarían en tanto búsqueda «del objeto deseado que tengo en mis entrañas dibujado», según la bella expresión de San Juan de la Cruz. Fuera de su contexto la expresión puede ser útil para explicar el anhelo del escribiente por alcanzar la «figura» perfecta del ideal diseñado.

Mundo de la realidad y mundo del lenguaje pues; figuras inexplicables para quien no entre en sus secretos, atraviese el espejo. No es que la realidad se circunscriba al mundo sensible, mundo de los sentidos y de las percepciones, pues, con seguridad, abarca a ese otro donde se manifiesta la imaginación. Y así las figuras de las que habla Wells despiertan de un sueño extraño, mezcla de dormidas señales, de signos entrelazados por inexplicables nudos. Sueños en sueños, imágenes recogidas de un mundo perdido para ser entregadas al lenguaje y que hablen levemente del hombre, atraviesen de singular modo el espejo de las inocentes miradas y descubran al fin la

148

multiplicidad de relaciones entre innombrables seres; en suma, entre palabras y cosas, entre hombres e imágenes. Difícil de explicar el caos original, difícil de conciliar, sin la inspiración de la palabra, su resultado, el cosmos final. Aunque lo inexplicable, puede decirse con justicia, sólo existe para quien ha alcanzado la capacidad de dudar.

Y quién no ha escuchado en las horas de euforia creadora el suave tono de una voz dictando las palabras precisas, absolutas. La inspiración, sin duda, existe, como un sueño mágico. Esclavo de ella, sujeto a sus caprichos y escarceos por los confines de la conciencia, se presenta desnuda, misteriosa, sensitiva a quien sabe buscarla. Aunque su encuentro está destinado a quien con la ayuda de la sabiduría y la paciencia aguarda el trance de una espera sinuosa. «No se trabaja, se escucha. Es como un desconocido que os habla al oído», escribió Alfred de Musset.

Así pues, Wells recoge de Montgu la materia bruta, si se puede hablar en tales términos de esos extraños y maravillosos elementos, las palabras, capaces de crear realidades y conformar la base de tres mundos. Wells, curiosamente, no se detiene ante este hecho; ya sería suficiente, en el horizonte cultural de su época, haber esbozado las posibilidades de estos principios, de estos motores. Dibujado en la mente, advierte, el mundo de la imaginación es accesible mediante el impulso de la inspiración, plataforma erigida por una voz innombrable conocida sutilmente por su resultado. Y consciente del esfuerzo a realizar establece las pautas de tal diseño. El primer mundo, ese que es conocido ya desde la antigüedad como el reino terrenal, es reflejo de aquél en donde subsisten los arquetipos motores del vivir cotidiano.

149

«Laberinto, laberinto», la palabra bulle violenta en la mente de Alexander. Levanta la vista de los libros y la Biblioteca adquiere otro sentido. Ha sido suficiente el recuerdo de una palabra para que la disposición de los objetos e incluso del espacio cambien su sentido. «Laberinto, laberinto.» La Biblioteca era un laberinto; al fondo, en la penumbra del mostrador de castaño, Mario observaba la mirada extraviada de Alexander, también la del vecino lector o los estantes sombreados y descoloridos rellenos de volúmenes. La Biblioteca era un laberinto, y en el fondo de todo laberinto hay una pregunta metafísica. Alexander se levantó del asiento.

Capítulo 18

> —*Rey, si debo morir sin remisión dame tiempo..., tengo un libro muy especial que te regalaré a ti para que lo guardes en tu biblioteca.*
> —*¿De qué libro se trata?*
> —*En él se contienen innumerables secretos, el menor de los cuales es que, si me cortas la cabeza, lo abres, pasas tres hojas y luego lees tres líneas de la página que se encuentra a tu izquierda, la cabeza te hablará y responderá a todo lo que le preguntes...*
>
> *1.001 noches,* noche 5.ª

En 1988 el editor inglés Roger Burton accedió a publicar Viajes a través de una pluma, *libro cuyo título no daba pie, en apariencia, a ningún posible malentendido sobre su contenido. Su autor, Eduard Verne, especialista en historia oriental y profesor de la Université de París, iniciaba de ese modo su incursión en un terreno inédito, muy alejado de las regulares publicaciones de su especialidad. Con bellas y expresivas palabras, ya fuera en breves pinceladas o en largas y amenas lucubraciones, Eduard informaba sobre aquellos territorios, países o lugares recorridos por la imaginación. Ilustrado por Rubén Correal, uno de los dibujantes españoles más cotizados, el libro llegó a alcanzar un éxito inusitado en su momento, y al decir de algunas crónicas un merecido prestigio por su fiel, inteligente y honesta narración.*

Sin embargo, su publicación desencadenó dos historias bien distintas, dos modos de vivir un mismo acontecimiento. Una de ellas por lo que concierne a la propia difusión del libro; la otra, más sutil, más enigmática, más actual, si cabe, que la anterior, concierne a la historia del propio libro, a su creación.

Con anterioridad a su publicación en volumen, Viajes a través de una pluma *apareció en los suplementos de la revista* Littérature Française *el año anterior. Al azar del tiempo Eduard fue entregando las crónicas de sus viajes; a medida que aparecían crecía la magia y el interés hacia sus narraciones, tanto por la parte del público como por la del autor. También crecía el deseo de encontrar esa aventura siempre perseguida, aunque nunca encontrada, tan sólo entrevista en ocasiones, sobre la cual nadie puede escribir sin el riesgo de sumirse en la más inocente de las ficciones.*

152

Durante ese año Eduard fue publicando, desde la seguridad de su conocimiento del tema, las crónicas de viajes. En unas llevaba al lector hacia tierras inhóspitas, lejanas para las conciencias europeas, invitándole a participar en inusitadas aventuras; en otras le guiaba por intrincados pasos lógicos y dialécticos a través del pensamiento oriental y el pensamiento asiático; en otras, en fin, la palabra escrita reproducía las propias reflexiones del lector. En todas, en suma, lograba hacer real la fantasía de quien tuviera en las manos la historia, que alcanzara a seguirlo y, aun desconociendo las artimañas empleadas, instalarle en el territorio mágico de las palabras.

Con esta seguridad y tranquilidad de ánimo, Eduard afrontó semanalmente la oferta de la revista literaria.

El relato de esas vicisitudes fue desconocido para los lectores, más pendientes de la lógica historia relatada en el libro que de la que acontecía subterráneamente. Por tanto, el proceso y desarrollo de las crónicas, los entresijos que rodearon los años quizá más creativos —y también los más amargos— de Eduard se intentarán descubrir en las líneas que siguen. («A veces el destino de los hombres y sus móviles —escribía en una de sus crónicas Eduard— tan sólo pueden ser comprensibles cuando la posteridad reflexiona sobre sus vidas. Entonces, lejana ya la luz del éxito o la tiniebla del fracaso, otros hombres crean a otro hombre y se enfrentan a la memoria histórica; triste destino, no obstante, el que en ocasiones depara a quien habiendo elegido en vida ser el dueño de sus actos, la historia, con mordaz ironía, se los niega.»)

Eduard, pues, fue el centro de uno de estos azares —líbreme Dios de juzgarlo—, eje sobre el cual gravitó un enigma desconocido para sus contemporáneos. Fue el azar, justamente, el que dirigió los actos de aquel que más había confiado en ellos y en el destino que, sombríamente, suele acompañarlos.

Y ahora, cuando desde la literatura se intenta comprender la aventura de quien confió a las palabras su visión personal de la fantasía, alguien, tal vez quien esto escribe, desde una visión omnisciente de la historia, intenta comprender la ficción del mundo de sombras de quien le atrapó en los dulces brazos de la imaginación.

«Maestro —pudo decir Eduard en un momento de la entrevista celebrada con Rabbi Simeón— la ficción nace, al menos en mi caso, del conocimiento de aquella ínfima parte de verdad a diario descubierta en el extraño, absurdo y maravilloso mundo del lenguaje...»

Los hechos puede que se iniciaran el día que Eduard acudió a la cita concertada con el representante de la comunidad judía de Vlotenburg, Rabbi Simeón. Recordaba con nitidez la nostalgia de las reuniones de la comunidad, allá en Amsterdam, justamente con el que fuera su maestro, hasta ese momento presente tan sólo en borrosas y fugaces imágenes desde su exilio mediterráneo. «Es bueno recordar —puede que llegara a pensar lúcidamente— cuando el pensamiento muestra todos los ángulos del destino en armonía con el entendimiento.»

Y si es preferible —según Eduard— alcanzar la felicidad del espíritu desde la libertad, asumiendo los riesgos que tal decisión conlleva, antes que doblegarse a presiones ajenas a la voluntad, Eduard pagó cara su decisión. Él era consciente de ello, no en vano su traslado a M... fue consecuencia de haber asumido tales *principios a raíz del fallido atentado contra su persona durante su estancia en Amsterdam.*

Eduard acude a la cita, receloso, por un prurito literario descubierto mientras leía la nota de la convocatoria, receloso en verdad de las inexplicables razones que a veces ocultan las palabras. Y comprendió cómo el pasado —inerte cuando el presente discurre intermitentemente— se revuelve y renace cuando se le conjura. Pero no concedió demasiada importancia cuando en un pasaje, que él juzgó poco afortunado —mencionaba la revista Littérature Française—, *calificaba sus publicaciones de «extravíos de la memoria».*

Por el contrario sí reparó en las palabras con las que se le convocaba a la reunión —«pronta reunión»— con aquel representante designado en su momento por la comunidad. También en este extremo la parquedad de la nota le extrañó, y tampoco era muy explícita: «Sentimos la necesidad urgente de convocarle», precisaba.

Así pues se celebra la reunión en un establecimiento del barrio bajo de M..., Aux Vieux Casques —de antiguas resonancias francesas—, discreto a los ojos de conocidos, desconocido para Rabbi Simeón, olvidado ya para Eduard, y en cualquier caso propicio para conversaciones intempestivas aunque, desde luego, tranquilo y reservado.

Eduard palideció después de estrecharle la mano, o Rabbi Simeón pensó en su palidez. Diez años atrás su figura le hubiera resultado grotesca, ridícula, lo que no hubiera excluido la afabilidad, la mutua amistad. Pero en el viejo bar del puerto, a esa hora de la tarde, desde la más estricta subjetividad, Eduard había imaginado otro cuerpo, otro hombre y otra mirada, no la figura hierática, adusta, severa, contenida, de Rabbi Simeón. En realidad, cuando se dirigía a la reunión tampoco había pensado en ninguna transformación visible del

155

antiguo protector. Los pensamientos habían huido de modo casi natural de esas consideraciones, a la postre fuente de las más variadas opiniones fortuitas, contingentes y, en ocasiones, propicias para caer en los más censurables prejuicios y equívocos.

Tan sólo cuando la realidad le entregó el silencio del pasado deslizándose sobre el contraste de sombras de la sala, percibió Eduard la destrucción física del maestro, la impenetrable mirada, la destrucción, sin paliativos, de todas sus anteriores conjeturas, la evidencia descarnada de un rostro aún por estudiar, balbuciente, seco, dispuesto para hablar y romper la máscara.

«No profanes los textos sagrados, en nombre de ellos renuncia a tus escritos», advierte en un momento de la reunión Rabbi Simeón a Eduard.

Ni siquiera la presumible amistad entre esos dos personajes permitirá a la historia discernir con rigor o justicia sus enfrentadas posiciones. Y sin embargo la historia de esa reunión llega hasta el presente a través de la oralidad y —por qué no— de la escritura de quienes vivieron su presente amargo y buscaron inevitablemente un acuerdo sobre un pasado que les enfrentaba.

Pues el maestro y el docente se conocían desde su estancia en el Gymnasium Deutschland, en una época de largas y entusiastas veladas en las que habían llegado a intimar intelectualmente, donde las ideas circulaban entre las mentes con el rigor de una enseñanza permisiva y abierta.

Mas ya es imposible detener el avance de enrevesados mecanismos: ha sido suficiente una palabra de Rabbi Simeón para predisponerlo frente a él. Y eso sin olvidar su mirada, su contagiosa carcajada, su seductora presencia y verbo envolvente e hipnótico. Sin olvi-

dar la deuda contraída: deuda moral por supuesto, subjetiva y, desde luego, libre.

Dicho de otro modo —así piensa Eduard en un tiempo sin medida, en un espacio cercado por los recuerdos—, sí, es cierto, repite, hubo atracción, hubo seducción. Por su parte, en el maestro encontró al lúdico relator, ameno, disperso, fantástico, heredero inconsciente de la fina técnica de la invención —y que nunca llegaría a sospechar cuánta amargura ocasionaría a Eduard—, nacida de otro terreno también dominado por el judío: el de la invectiva.

Fue Rabbi Simeón quien le relató su azarosa vida, mezcla de literatura, fantasía, imaginación y aventuras acontecidas desde el temprano y lejano exilio. Eduard descubrió por primera vez en ese verbo encendido un nuevo mundo, y quedó encandilado de los intrigantes y minuciosos relatos, exacta transcripción de sus sueños y proyectos juveniles.

Poco a poco un tiempo fue devorando a otro tiempo, y la relación llegó a afirmarse. Tan sólo el azar, o el destino —tan humano cuando se asume—, hizo que sus vidas confluyeran en una relación maestro-discípulo, centro privilegiado para la transmisión de la sabiduría, núcleo donde el contacto físico con el verbo del rabino garantiza la permanencia de la tradición.

Pero en verdad fue él quien le relató las ficciones sobre las que Eduard construyó posteriormente un enorme, complejo e intrincado edificio, laberinto cuya estructura fue cercando los territorios del escritor. Y si para el rabino esas ficciones no eran más que parábolas contraídas por el tiempo, creadas en función del diálogo establecido, para Eduard eran la baba, los hilos de una red donde las cosas se vinculaban entre sí y formaban la realidad de las visiones, obsesiones y, en última instancia, su propio y personal conocimiento del mundo. De ahí la extrema atención de Eduard, su

157

embobamiento cuando las palabras fluían de la boca de Simeón, pues eran ellas las que le producían cálidas y nítidas imágenes visuales que le transportaban a una esfera distinta de la cotidiana y vulgar de su existencia.

Al término de dos horas —pero ¿cómo puede medirse el tiempo de dos mentes enfrentadas?—, dos horas en las que Eduard Verne se esforzó en recordar la imagen fresca, escrutadora, alerta, institucionalizada, incluso maliciosa del maestro, Eduard Verne, pues, al término de esas horas, recibió las palabras en pleno corazón.

El semblante de Simeón no se alteró, al menos en apariencia, cuando de su boca fueron saliendo las rituales fórmulas condenatorias de la figura de Eduard Verne. Bajó los ojos, cerró la boca y esperó a que Simeón finalizara de algún modo imprevisto la lista de cargos. Mientras, el silencio del reservado dejó paso, en los sentidos del discípulo, al clamor ascendente de voces provenientes de sabe Dios qué lugar terrenal.

Y cuando elevó el rostro, el ventanal reflejó el paisaje otoñal, los claroscuros de la tarde invadieron los sentimientos y los recuerdos se agolparon en la mente extraviada. La voz monocorde de Simeón empezó entonces a transmitir la orden de expulsión aprobada, el Herem:

«...maldecimos y separamos a Eduard Verne, con el consentimiento de Dios bendito y con el de toda esta comunidad; delante de estos libros de la Ley, que contienen trescientos trece preceptos...»

Era la fórmula clásica del Herem, repetidamente aplicada en anteriores casos, incluso con su participación, frente a la cual no cabía aplicar recurso alguno.

«Maestro, maestro —suplicaba para sí, en silencio, rogaba desde el fondo de su ser Eduard Verne—, maestro, detente, no prosigas...»

«...la excomunión que Josué lanzó sobre Jericó, la maldición que Elías profirió contra los niños y todas las maldiciones escritas en el libro de la Ley; que sea maldito de día y de noche; maldito cuando se acueste y cuando se levante, cuando salga y cuando entre; que Dios no le perdone; que su cólera y su furor se inflamen contra este hombre y traigan sobre él todas las maldiciones escritas en el libro de la Ley...»

Simeón detuvo la lectura de la orden. Durante unos minutos no levantó la vista del informe oficial. Agitado, había leído con inusitada velocidad el Herem y su expresión parecía no haber previsto el malestar que su voz desencadenó con la lectura de los últimos párrafos. Tampoco pudo ver el rostro demudado del discípulo.

Tal vez hubiera podido observar en ese rostro las sucesivas transformaciones de un hombre domeñado por el destino, que, en el fracaso de la lucha interior, librada de desigual suerte, utiliza sus artes inconsciente de los resultados provocados por ellas mismas.

Así pues, la noticia de la expulsión de la comunidad, al poco de conocerla, le produjo, no ya el evidente rechazo, sino el sentimiento interior de ruptura con el mundo. Pues he ahí la raíz de la desdicha: ese desigual modo de conciliar los destinos de los demás con el suyo propio.

Simeón puede recitarle, desde la luz temblorosa de la tradición revelada, los textos proféticos. Eduard le escuchará, le dará su asentimiento, mientras sus oídos degluten los versos rabínicos. Pero el lenguaje de am-

159

bos personajes ya está maldito y Rabbi Simeón se ha apresurado a fijar su posición: «Te has expresado de modo que has levantado la ira de quien conoce el secreto del lenguaje, el secreto de la lengua que tú has rechazado». Y los ecos del pasado palpitan por las venas del discípulo cuando Simeón, señalándole el corazón y la mente, le acusa del uso ilegítimo de los textos antiguos.

«La muralla de la sabiduría es el silencio», declara apasionadamente Eduard ante los ojos atónitos del rabino. «Y tú no estabas cuando te necesitaba —le reprocha—, no es extraño que el silencio de tu palabra siguiera a la ruptura.» Otros textos pueden haber dado luz al diálogo de ambos personajes, y Eduard desde el conocimiento de ellos se dirige al maestro: «Ya ha sido profetizado que así como las letras sagradas del alfabeto son mudas sin los signos de las vocales, así los maestros y los discípulos están ligados mediante la palabra».

Eduard observa el semblante hierático del maestro. ¿Cómo expresar la tormenta interior de palabras palpitantes en su mente como el fuego de un volcán? En el silencio del lenguaje de Babel, implantado en el mundo de dos conciencias, Eduard vacila, teme aún después de los años en que la influencia de Simeón ha dejado de presionarle. Aunque no teme a la sabiduría, aquella encontrada lejanamente en los textos: «Praetera habebo per hanc inmortalitaten, et memorian aeternam his qui post me futuri sunt relinquant».

Pero la voz de Simeón le trasladó fulminantemente a la inmediata realidad, aunque no comprendió sus palabras, tan sólo sonidos entrelazados por otros de oscuro sentido y cuyo significado apenas era recibido ya lo perdía.

«In principio erat Verbum, et Verbum erat apud Deum et Deus erat Verbum. Hoc erat in principio

160

apud Deum», *recita Eduard. En el recuerdo aún per-*
sisten esas palabras, alejadas de la enseñanza del
maestro, más presentes en la mente que las ha asu-
mido.

De nuevo, a través de esa voz —voz de voces para su
pensamiento— se trasladó en el tiempo al pasado pró-
ximo, allí donde el sueño y la vigilia pierden su nom-
bre, donde se descubre la figura seductora de Simeón,
aunque él no comprendiera nada de su articulación
verbal, nada del entretejido de letras, verbos y nombres
enmarañados hábilmente al hilo del diálogo. Seducido
por esa palabra, Eduard cayó fulminantemente herido.
El maestro le relató vivencias, aconteceres, historias,
aventuras, ficciones de ficciones. Entre esas palabras
—descritas con premura, con delicadeza, con sabidu-
ría a ojos del discípulo— Eduard no captaba su signi-
ficado completo, tan sólo la sonoridad, la entonación,
medida, calculada, la rima, adornada de nube de em-
brujo y magia que encandilaba más aún la maravillo-
sa imagen del sabio ante el discípulo. Cual Sibila reen-
carnada —privilegio y honor para quien recibiera la
gracia inmerecida de vivir en ella— el maestro sedujo
al holandés hasta lo más profundo del ser, creando en
su conciencia la semilla de la disciplina y la necesidad
de la sabiduría.

Rabbi Simeón, hundido en el asiento observa el en-
torno de un decorado gastado por los hombres y el
tiempo. «Es cierto, es cierto —le recuerda Eduard—,
he deseado encontrar en otras palabras aquello que
había perdido al rechazar las tuyas. Omnia per ipsum
facta sunt: et sine ipso factum est nihil, quod factum
est», *dice Eduard. El holandés no responde, tal vez*
desde su semblante demudado ha comprendido, aun-

que es posible que rehúya una mirada comprometedora con el pasado, con la conciencia de los actos injustificados. «Aún no he rozado —señala el discípulo—, siquiera levemente, la dulce y nutritiva miel de la verdad.»

Él se la había dado, ofrecido, tal vez desde la inocencia de la amistad y de su experiencia viajera. Y cuando el maestro le entregó, en un día para el recuerdo, el limpio relato, la memoria de los nombres, el verbo encendido, brillante y emocionado de la aventura, él lo recogió para entregárselo desde la fantasía de las palabras dedicadas a su memoria. Sin embargo, ahora, a Eduard le vienen a la memoria otras palabras: «In principio erat Verbum», recita solemne sin levantar la vista del texto manuscrito.

Entonces Eduard comprendió. Fue suficiente una señal en el rostro del holandés para transportarlo a la memoria de los lugares comunes de la disputatio, al centro geométrico de la Ley emanada en otro tiempo de boca del rabino.

El maestro le ofreció el documento así como las manos, las que hace años le iniciaron en la senda y le hicieron revivir la experiencia ancestral de su vida personal en los cánones de la tradición. Comprendió, en verdad, el silencio y la impotencia del anciano rabino, las ataduras y la fidelidad del individuo al conocimiento asumido.

Recordó las palabras finales del Herem al que tantas veces había apelado: «Conjuramos que nadie tenga con él trato ni hablado ni escrito; que nadie permanezca con él bajo un mismo techo o entre las mismas cuatro paredes; que nadie lea ningún papel hecho o escrito por él».

Los dos rostros se encontraron en un punto abstracto del tiempo mecido por las palabras del pasado. No había emoción aparente en el del holandés, tan sólo un

sollozo interior en Eduard de difícil descripción. Reco-
gió el documento de manos del rabino y lo plegó. En su
escritura no reconoció al amigo; ése no era su verbo; y
él lo sabía. Luego, se hundió en un silencio que habló
desde la memoria común asumida por los dos hom-
bres.

    Simeón habla. Habla con palabras a las que Eduard
ya estaba acostumbrado, aunque olvidadas. Parece
responder a alguna precisión, a alguna interrogante
planteada desde hace tiempo, desde hace unos segun-
dos, desde hace poco —Eduard duda en su aturdi-
miento, cabecea, cierra los ojos y Simeón se hunde en
la neblina del atardecer—. Quizás sólo persigue
—piensa el discípulo— justificar su presencia. Pero
no, no aconteció nada que le eximiera de su responsa-
bilidad. Extrañamente su voz suena hueca en esa parte
del Mediterráneo, a esa hora de la tarde cuando la no-
che anuncia la palabra del rabino; los dos saben de los
peligros de un reencuentro: sellan pactos inviolables; y
ellos llegarán a sellarlos más allá de la discordia o el
desacuerdo.

    «Et accepi librum de manu angelli, et devoravi
illum: et erat in ore meo tanquam mel dulce...», dice
Eduard con la mirada fija en la bruma exterior. Reci-
tado por él, al término de las horas, el Apocalipsis re-
sucita entre las voces, dando respuesta a las palabras
cubiertas del silencio de los años.

    «Era en mi boca dulce como la miel...», repite men-
talmente Eduard. El rabino recuerda en esas palabras
las lecturas bíblicas compartidas en otras ocasiones:
«Cuando en el hilo del tiempo se han perdido los deta-
lles de decisiones vitales se agradece su recuerdo», se-
ñala. Por su cabeza deben de urdirse innumerables
diálogos repetidos como cantos en los templos. Rabbi,
es cierto, debe de estar pensando en aquel lugar, en
aquella voz, que al poco de ofrecerle el relato de sus

163

aventuras a Eduard, éste, no sin antes dudar, aceptó transcribirlo literariamente. Y recuerda su emocionado rostro, sus halagadoras palabras, también su pesar: temía, cuando menos, que el furor iconoclasta y heterodoxo de Eduard repercutiera en los principios directores de sus actos, se apartara del cumplimiento de los preceptos bíblicos.

«Quisiera poseer ese pasado que tú me transmites», dice Rabbi Simeón. Eso sí lo recuerda Eduard, ese pasado oculto en el velo de los espejos de la memoria.

Capítulo 19

Nox atra cava circumvolat umbra.

Virgilio, *La Eneida*, II, 360

—Era profesor, ¿no?

El bibliotecario rodeó el despacho de roble, acercó la silla, le dedicó una blanca sonrisa confidencial y bruscamente hizo un gesto despreciativo, más parecido a un tic que a una posible impertinencia de quien había solicitado sus servicios. En el tiempo que se tarda en chasquear los dedos, por los ojos de Alexander había pasado todo un curso de psicología del comportamiento. Mario Sebastián observó inquisitivo a Alexander por encima de las gafas quevedo, luego sonrió gentil e inocentemente para responder con voz queda, temblorosa:

—En efecto, ejerció la docencia durante algún tiempo en un colegio privado, pero se retiró pronto de ella, fue él mismo quien solicitó la excedencia voluntaria, estaba cansado, creo haberle oído comentar en alguna ocasión. Entonces se trasladó a Oclam, ¿se pronuncia así? No, Ouclam, tal vez fuera a Ohio...

—Bueno, no tiene importancia...

—...Ahora no recuerdo. Bien, fue a Estados Unidos, en cualquier caso. En el fondo —la voz del bibliotecario se torna suave e íntima—, y por favor comprenda estas palabras en su justo sentido, creo que nunca se sintió atraído por la actividad docente. Más bien diría que le repugnaba ejercer una función diaria profesoral, «escupir saber» como en alguna ocasión llegó a definir el trabajo realizado en el colegio.

—Y decidió marchar de Europa.

—Exacto, en 1948, creo recordar. Es posible, sí, fue ese año. Él era de ascendencia judía, como ya sabe. Sus padres le habían facilitado unos estudios y una carrera muy por encima de las posibilidades económicas de su clase y de su trabajo. En cierta ocasión me comentaba el profundo sentimiento de respeto, admiración y agradecimiento reservado hacia sus padres, quienes con los pocos ingresos percibidos mensualmente (su padre era un pequeño comerciante del gueto judío de Amsterdam, su madre no se dedicaba más que a los asuntos caseros) le habían facilitado una exquisita educación, humanista, universal, la cual le había permitido alcanzar un estatus intelectual imposible de soñar de otro modo, muy por encima del resto de sus conocidos y amigos de la época. Y se marchó de Europa, ésa es la decisión que, en efecto, tomó; desde luego no fue una decisión simple, tomada inconscientemente, él conocía la aventura tan inhóspita a la que se arriesgaba, pero al final primaron factores de pragmatismo y otros que yo desconozco, por supuesto. Fundamentalmente lo decidió al poco de morir sus padres,

166

o mejor —y el rostro de Mario se vuelve torvo y adusto—, cuando descubrió las circunstancias en las que los había perdido: en el campo de concentración de Auschwitz. Ése fue el golpe más duro de su juventud, sin lugar a dudas, y el que a la postre marcaría su futuro. Disculpe...

El bibliotecario atiende la solicitud de un lector que sigilosa y tímidamente ha depositado una ficha de pedido sobre el mostrador. Mario recoge la tarjeta rosa y desaparece en el dédalo de calles tapizadas de libros para aparecer al poco tiempo con una pesada enciclopedia. Cuando se aleja el hombrecillo, Mario se acerca a Alexander y en voz baja solicita su atención:

—Todos los días, desde hace un mes hace el mismo pedido: una enciclopedia rusa. Al parecer prepara un viaje, una visita a su hijo asentado desde hace años en algún lugar de Rusia y desea informarse sobre el país, recoger datos, costumbres, ya sabe. Por cierto, alguna vez observé que él y Eduard se enzarzaban en alguna conversación, pero apenas podría reproducir algunas de sus opiniones.

Alexander desvía la vista del hombrecillo que a pasitos cortos se dirige altivo hacia su mesa de estudio. En el rincón izquierdo de la sala, contiguo al lugar ocupado por él en esa ocasión, bajo la débil luz solar filtrada por el barroco enrejado de cristales emplomados, un contraluz envuelto en la niebla y en la penumbra cubre una mesa de lectura.

—¡Ah! —exclama sonriente el bibliotecario—, le comprendo, leo sus pensamientos, en ese sillón era donde pasaba las mañanas Eduard Verne. ¿Sabe dónde escribía? En ese pupitre, allí, en el del fondo; bueno, alternaba los dos; los rayos del amanecer caían sobre el escritorio en los días de invierno, dejaba sus gafas sobre la mesa, extraviaba durante ho-

ras la mente en el ventanal y luego escribía apacible-
mente hasta mediodía, hasta la hora del almuerzo, en
que se ausentaba un par de horas para regresar hacia
las cinco de la tarde a sus hábitos diarios.

—Entonces perdió el horizonte —continúa Mario—. Lo acontecido en Auschwitz le afectó de tal
modo que no es difícil de comprender que tardara
en superar las desgracias de sus padres y su vida
diera un giro decisivo. Viajó por América, no sin antes recorrer Europa y así —Mario suspira mientras
ordena distraídamente unas fichas selladas—, pues
en 1953 se instala en Holanda, regresa a su ciudad
natal...

—Hábleme de América —sugiere con interés
Alexander.

—Ésa es la etapa oscura, ¿sabe?, al menos yo he
recogido muy pocas noticias, fidedignas por supuesto, pues las habladurías circulan a cientos y por
principio hay que desconfiar de ellas, usted comprenderá... En fin, él me escribió en ciertas y contadas ocasiones... Bien, se instaló en Holanda, como le
dije, encontró fuerzas para rehacer su vida, había
viajado, conocido lugares que llegaron a mitigar, siquiera fuera circunstancialmente, su melancolía. Y
cuando llegó de los Estados Unidos no tuvo grandes
dificultades para adaptarse al nuevo sistema de pe-
riodismo, de gestión literaria de la literatura, tan
distinto entonces del vigente en el nuevo continente.
Consigue trabajos esporádicos mal remunerados,
pero en poco tiempo colabora ya más firmemente en
la prensa especializada europea. Se hace un nombre, ya sabe. Además, traía buenos informes de los
americanos, aparte de su experiencia como traduc-
tor, y al poco tiempo inicia regulares colaboraciones
en *Isla Literaria*, primero como corresponsal, más
tarde como trabajador fijo...

—Y conoce a Giovanni Shutter.

—Señor, a Giovanni ya lo conocía de su época de estudiante... Se referirá al reencuentro, ¿no? O tal vez a Rabbi Simeón, la máxima autoridad en la Sinagoga de Amsterdam, por cierto, íntimo amigo de Giovanni... Yo no lo traté, no tuve ese honor, ¿sabe?, aunque según me comentó el señor Verne era una persona de enorme cultura. Llegó a visitar en alguna ocasión M... Sí, recuerdo que vino acompañado de una bella mujer, una escritora polaca, usted me disculpará, mi memoria debido a mi oficio es una de mis virtudes... En fin, en el fondo de todo bibliotecario se oculta un guardián, de la memoria por supuesto...

Alexander no pudo evitar el asombro ante la información del bibliotecario. Balbució torpemente algunas palabras confirmando el aserto de Mario, al cual el dilecto bibliotecario no fue extraño, pero prosiguió su torrente de palabras ajeno a las dudas que embargaban la mente de Alexander. Y a raíz de la interrupción del recitado por el bibliotecario Alexander ya fue incapaz de hilvanar lógicamente sus palabras. Al cabo de unos minutos, y aprovechando una discreta mirada al tubular reloj de bronce de la Sala de Lectura, se disculpó, agradeció la información del servicial bibliotecario y marchó de la Sala.

Ya en el umbral del portón el bibliotecario pacientemente le pidió la opinión que le había merecido el tercer libro solicitado, aunque no llegado a leer. Se refería al de Eduard Verne, el cual complementaba la trilogía intelectual y particular de las añoranzas o nostalgias de Alexander. Fue incapaz de ofrecerle —aunque puso todo su empeño en ello— una síntesis precisa, tan sólo llegó a señalarle las similitudes con el de Montgu y con el de Wells, no en vano estos últimos habían contribuido a formar la biografía intelectual de Verne. Mario asintió feliz e impávido a las muestras de gratitud y agradecimiento expresadas por el amigo de Giovanni y se despidieron a la puerta de la Biblioteca. Alexander se fijó entonces en el cielo estrellado de M...; el valle ya recibía las últimas sombras del día. Por su mente rondaban tantos y tantos enigmas que el rostro inocente del encargado encajaba en el grupo de enigmáticos personajes formados en ella.

Pero no le entregó el manuscrito.

Capítulo 20

Cuando llegó al apartamento encontró el silencio de la noche. Había vagado por el pueblo sin saber a ciencia cierta cómo ordenar su mente y al sentarse ante la mesa de trabajo las palabras fluyeron rápidas sobre el papel:

Es de este modo, esperando al anochecer, perdido en la locura del laberinto de los sueños, cuando me decido a entregar a las palabras los hilos de Ariadna acumulados en los días pasados, aunque no siempre las palabras sean el mejor medio para contar o asumir el papel de intérprete, ya lo sé (y Eduard Verne pagó cara su ingenuidad ante ellas). Apenas se dibujan en la conciencia dejan un pozo de malestar contenido de difícil descripción, más aún, de interpretación. Incluso a veces, puede que sea éste el caso, la gramática de las relaciones con el pasado y el presente mediando la memoria incursora llega a oscurecer aún más, si cabe, la extraña tarea de desmenuzar los caminos que como ríos entregan, según el régimen de lluvias, más o menos caudal, más o menos palabras.

María me preguntaba esta mañana sobre las sensaciones de un escritor. Yo le decía que sentía palpitar la conciencia cuando las palabras se depositaban sobre el papel, cuando esos bichos discurrían por los recovecos, los rincones y las memorias sombreadas de dulces y lejanos recuerdos; indescriptibles, indefinidas, inertes, tenían el pulso de un organismo con el corazón regulando el ritmo para impedir su extravío.

Pero es difícil reflejar una idea, lo sé, aunque entre palpitaciones, traspiés y trompicones habrá que navegar por una estructura donde el relato del mundo incluya a un personaje de excepción, su propio escribiente, pues no puede ser de otro modo cuando se participa de ese mundo. Y al ver las esquinas y recovecos del silencio de las palabras habrá ocasiones, espero que las más, en las que se presente la palabra absoluta, definitiva, redonda, que encajada en otra cree una red, una malla, un diálogo cuya fantasía origine una figura irreductible, total, retrato perfecto, encantado, de una imagen cuya realidad no agote la descripción.

Es cierto, en ocasiones escribir puede ser una experiencia mortal; en otras, un pasatiempo; casi siempre una necesidad. En los días pasados en M... he tenido ocasión de confirmar el último de estos asertos, la necesidad. Puedo decir que nunca he dudado de este principio, tan sólo el encuentro con María puede llegar

172

a aplazar la materialización de esa convicción y a la postre, creo, confirmarla (a no ser que el pasado, de la mano de Beatriz, reproduzca otra figura nueva, otro territorio).

Pero nunca contradecirla, es cierto, el trato con las palabras es parecido al trato con los hombres: se encuentran, aparecen ante la visión, se expresan en su lenguaje, te modifican y luego desaparecen. Queda, al final, el regusto amargo de la interjección, de la duda, de la inevitable semblanza con las ideas nacidas al calor de un mundo ancestral, paradigmático, ya fenecido, pero a la postre nuestro; el mismo mundo reflejado en la conciencia y sin embargo distinto, disimuladamente desigual: es la magia de las palabras.

«Sólo quien huye de sí mismo puede escribir», leo en una de las notas de agenda desperdigadas por la mesa. Curiosamente aparece ahora, cercana la hora de visitar a María, después de haberme entrevistado con el solícito bibliotecario, cuando releo lo escrito...

Y doy vueltas a las anotaciones al margen, deposito aquí y allá un signo, enmiendo una página, tacho acuyá un adverbio, modifico un adjetivo. En el límite destruyo una personalidad o creo un nuevo personaje válido para una función que ni yo mismo atisbo a registrar, por más que le haga partícipe de otra historia quizás más maniquea y solipsista que la sustraída.

Pero así es la consciencia de la inconsciente historia: en ciertos momentos el relato sobre Verne puede ser como su propia vida: la historia escrita por y para nada, ni siquiera para nadie, en suma, la historia creada en función del deseo abstruso e inmemorial de permanencia del ser, la salida díscola y oportuna (pienso ahora en María antes que en Verne) de encontrar el misterio de la ambigüedad de las palabras; y también el descubrimiento de su precisión y exactitud infernales, cuando no la creación de una ficción cuya

173

realidad traspase el protagonismo del propio autor.

Haré como Wells, como Montgu, tal vez termine como Verne, crearé mi propio mundo más allá de la realidad del primer orden, más allá del reino de este mundo, otra esfera, otra realidad, mágica y encantadora, no menos real, es cierto, y posiblemente más convincente en algunos aspectos, que la del primer orden. Pues la memoria —ese sustrato pertinaz presente en los confines de la conciencia— salta hecha añicos cuando se desprende de los lazos de la mente, cuando se traduce a signos, cuando llega a significar algo en el papel. Guardián de la memoria, la palabra, creada sobre esos lazos, no preserva de eterna inmunidad, y la verdad, como pensaba Scherezade, no reside en un único sueño sino en muchos. Así pues, lo que no se ha visto, y sin embargo se desea, es traducido a palabras, por más que en el acto mismo, o a partir de él, se construya un imaginario museo donde no se permita descifrar la totalidad de sus claves.

Es un laberinto. Y la cabeza me da vueltas, me siento incómodo. Me imagino a María hablando de él, recuerdo su gesto circunspecto, su mirada ávida de lógica atravesar los círculos de un imaginario espacio a la búsqueda, con la ayuda de la memoria, de las múltiples formas y modelos de laberintos. Pero ninguno la convence, como tampoco me convencen a mí. Sólo existe el laberinto para quien no conoce sus reglas, decía el otro día, pues ha sido creado, en su perfecta construcción, para engañar a quien lo considera como tal, de otro modo la ciudad en la que ahora escribo sería tan laberinto como el más bello e inteligente de los creados. Y aquí está, helo aquí: veo a través de la ventana, uno de sus muchos recovecos, y me niego —me he negado desde que aterricé la primera vez— a descubrir las enrevesadas artes y argucias de su creador. Pues si lo descubro, en el intento ya guardo la memoria de los registros de sus intrincados pasos, por lo tanto el propio orden de su historia, en el límite la magia de mi historia.

«—Incluso hay laberintos que no son tales —comentaba el otro día a María—, o al menos cuando la mente los analiza dejan de serlo, se puede decir que son laberintos abstractos, ¿no lo crees así? Pongamos un ejemplo —y recuerdo haber sonreído a María con cierta y ficticia ingenuidad—: una simple senda recta puede llegar a ser un laberinto, una senda cuyo camino de ida sea distinto al de vuelta, aunque quien circule no llegue a percibirlo porque la senda ha sido sabiamente camuflada, inteligentemente diseñada para que reúna dos cualidades, dos, o mejor dicho, dos principios, ideados para perderse como mandan los cánones.»

María me observó con asombro y escepticismo. Esbozó una sonrisa interesada pero yo hice como si no le prestara atención:

«—Cuando se llega al final no se reconoce haber llegado y cuando se cree haber llegado, en realidad quien lo ha recorrido se encuentra a medio camino.»

«—Me estás tomando el pelo», interrumpe María con decisión.

«—En absoluto, no acostumbro a mentir, todo se reduce a una simple construcción lógica» —sonreí entonces y respiré hondo, para añadir—: «No intento hacer una fábula de la realidad como hiciste tú el otro día con la historia del Faro de Punta Daga...»

«—Está bien, tú ganas...»

«—Te lo resumiré en una frase: sólo en la mente es objetivo el laberinto, no en la realidad, y sin embargo ese laberinto existe, créeme...»

Capítulo 21

Caute.

Exultante y animado, Alexander, después de hablar con el bibliotecario y leer el manuscrito, fue a ver a María. La conversación con Mario le había producido una regeneración intelectual no exenta de cierta inquietud: desconocía la entrañable relación que mantenían ellos dos, Eduard y Giovanni, pero también desconocía que su relación se remontara tan atrás, casi hasta los años en que él había conocido a Giovanni. Además las palabras de Miroslaw Pauper le habían obligado a reflexionar muy seriamente sobre sus propósitos iniciales. María le miró con enormes y temerosos ojos, distante y observadora, sin rehuir atención a las palabras del exultante interlocutor. Alexander resumió la conversación deteniéndose de modo particular en resaltar la figura del bibliotecario, preguntándole por alguna particularidad especial de su figura, por algún dato significativo, un nombre, una relación y sobre todo si sabía qué demonios había representado en la vida de Eduard la ambigua personalidad de Giovanni.

Pero el semblante de María impávido y mudo en un principio fue adquiriendo un tono sombrío y preocupado a medida que la verborrea apabullante y nerviosa de Alexander se hacía más ágil y precisa. Matiz no captado por el hombre absorto como estaba en reproducir el diálogo con el bibliotecario.

Ignorante del efecto contrario de sus palabras Alexander le habló de las atenciones del bibliotecario, de la estrecha relación que había observado en la singularidad de dos libros escritos sobre la impronta de vidas distintas, y sin embargo tan cercanas cuando se comparaban o confrontaban sus influencias.

Mas también le habló, con impaciencia y apasionamiento, de cómo en la Biblioteca había encontrado una de esas llaves tan difíciles de hallar pero tan gratificantes cuando se descubren con el arma de un método, en el desenvolvimiento natural de su aplicación, con una paciencia que él ya creía perdida.

—No sigas —le interrumpió María en un instante de la conversación con voz encrespada y llevándose las manos al rostro—, no hables, por favor, no me reconozco en esas palabras. Mi recuerdo de esos años es muy distinto, muy distinto, Alexander. Tan sólo recordarlos de tu boca me traen a la memoria la cercana certidumbre de su actualidad —cierra los ojos, respira con energía y en tono bajo y suave añade—: Desde el primer día que nos vimos, cuando en el más absoluto de los mutismos te recibí en el avión, sabía que llegaría a esta situación, o a otra parecida, qué más da —le mira con inquietud—. Ya me habían hablado de ti.

—¿Quién? —interroga Alexander extrañado por las palabras de María.

—¿Qué más da? —responde.

Y se levanta del asiento. Apenas han pasado veinticuatro horas desde que Alexander ha dejado la Biblioteca. Por la mente de la muchacha pueden pasar centenares de imágenes y figuras entrelazadas por palabras de difícil exposición, pero Alexander se ha fijado tan sólo en el rostro, bello a sus ojos; y en la boca, leve e inquieta cuando habla, suave, delicada, imposible que de ella salga una sola expresión de censura. Más bien —cree Alexander— que alcanzará a expresarle la confianza en su proyecto a raíz de haberle entregado el manuscrito. Pero María, al cabo de un prolongado silencio, se dirige al hombre ignorante de la ensoñación en la que se encuentra:

—Me has inventado, Alexander, me has inventado, te has creado, no sé por qué, una imagen falsa, tal vez de otra mujer, tal vez ni tú mismo eres consciente, pero la historia de la que me hablas, la que vas a escribir, aun creyendo en ella, no puedo compartirla.

No era miedo lo que Alexander observó en el rostro de María, tampoco logró encontrar la palabra exacta para describirlo, sólo sintió un enorme y angosto silencio, una mirada despojada de serenidad, un vacío que llegó a cubrir por entero la estancia y obligó a Alexander a acariciar el rostro de la muchacha oculto por las manos, esas manos que tanto anhelaba y deseaba. Era cierto —reflexionó Alexander—, tal vez en su inconsciencia había encontrado en María a la mujer sobre la que había depositado las imágenes más queridas por él, las más deseadas desde su ruptura con Beatriz.

Era posible —¿por qué no?, pensó Alexander—

178

que ella supiera algo sobre él, sobre su pasado, que le impidiera conocerle. Tal vez es eso lo que se busca en el amor: el insondable misterio del deseo de los demás, el desvelamiento de esa zona oculta donde lo más íntimo, o lo más misterioso e incognoscible del ser, quedan ocultos bajo la mera apariencia o la débil superficie de las palabras.

Y lo que más deseaba Alexander era precisamente encontrar en María esa predisposición, esa maldad subyacente a toda inquietud, a toda atracción: el relato veraz, absoluto y objetivo del insondable deseo de desenmascaramiento; en el límite no tanto la película de su relación con Eduard, como la suya propia sobre el marco, sobre la vida material de sus amigos, de Giovanni, de Beatriz, pero también las de ese personaje holandés, el rabino, de quien le habían hablado y sobre el que desconocía todo, salvo las engañosas imágenes ofrecidas por su desvelada conciencia.

Capítulo 22

> *Hay cosas más importantes que encontrar al asesino. La justicia es una palabra muy bonita, pero a veces es difícil decir qué se quiere expresar con ella. En mi opinión, lo más importante es justificar al inocente.*
>
> AGHATA CHRISTIE

María había estado presente en uno de los momentos de la entrevista de Rabbi Simeón con Eduard Verne. Alexander desconocía ese hecho, y cuando la muchacha se lo comunicó no le concedió excesiva importancia. No obstante, después de reflexionar se preguntó qué demonios pintaba esa entrevista en el caso Verne. ¿Qué relación existía entre esa conversación de «intelectuales» y la muerte del escritor? Y el manuscrito ofrecido por María —según ella lo último que había salido de las manos de

Eduard—, ¿es que puede aclarar las múltiples conjeturas formadas en la cabeza de Alexander? Y Beatriz, ¿qué lugar ocupaba?

Muchas dudas atenazaban su mente.

—Cierto día —añadió María con voz de sordina— llegó un individuo a verle —Giovanni me comentaría posteriormente que no fue una entrevista imprevista sino acordada con antelación y desde hacía tiempo—. No recuerdo de dónde venía, pero era extranjero, de eso estoy segura. Estuvieron toda la tarde reunidos en el cuarto. Hicieron algunas llamadas telefónicas...

—¿Fue el día de la entrevista...?

—¿Qué entrevista?... —María duda, hace un gesto de extrañeza—. No recuerdo, llegué tarde... Ah, ya, se refiere a la primera de ellas, a la que asistí yo, ¿no?, no, no, esta otra fue más reciente, una o dos semanas antes de desaparecer Eduard. Bueno, pues el encuentro fue casual, yo no pensaba visitar esa tarde el estudio de Giovanni, me dirigía a la Biblioteca y al pasar por delante de su apartamento decidí entrar y saludarlo. Al abrir la puerta Giovanni saltó del asiento como un resorte, se azoró, pidió disculpas al individuo y me llevó aparte, masculló una improvisada disculpa para que marchara y quedamos en vernos más tarde. Nunca había encontrado tan nervioso a Giovanni, nunca, de verdad. Y recuerdo que me inquieté mucho, pero entonces no sabía ni la mitad de lo que sé ahora, me refiero a las relaciones extranjeras de Giovanni con la comunidad judía holandesa.

»En verdad —prosigue María circunspecta—, hasta hace un año yo desconocía esa aventura entre los dos holandeses, Eduard también la desconoció, por supuesto, o al menos no llegó a sospechar, para el caso es lo mismo, que su atrevimiento literario, es decir, la publicación de *El Viaje en una pluma*, le acarrearía el enfrentamiento con su maestro, el rabino por supuesto, es decir, Rabbi Simeón, de quien ya te habló el bibliotecario.

María se detiene, enciende un cigarrillo y mira fijamente a Alexander, añade:

—Pero tampoco pudo prever la singladura intelectual que le llevaría a encauzar su interés literario por unos derroteros tan ignotos como paradójicos, cuando no injuriosos, según el pensar de las autoridades holandesas. ¿Sabes?, yo estuve presente en esa conversación, me refiero a la primera, no a la segunda, hará de esto un par de años, y no advertí entonces los sentimientos de Eduard, como tampoco supuse el desenlace. Pero todavía recuerdo el brillo en los ojos de Eduard Verne durante la entrevista con el rabino. Y cuando esas miradas se encontraron la del rabino debió lanzarse hacia la del literato, hacia la del hombre resentido por el acto deliberado que estaba abocado a realizar. Fue entonces —continuó María— en un instante preciso, en uno de esos tiempos idénticos a otros tiempos, cuando Eduard escuchó de boca del rabino el reproche: «Deseabas mantener el secreto de la fuente de inspiración, y ahora ese secreto se vuelve contra ti». Alexander —señala con energía María—, créeme, Giovanni desconocía los ocultos artífices del laberinto formado a sus espaldas, Eduard también, por supuesto, pero por otras razones, como comprenderás dentro de un instante.

—Y el manuscrito de Eduard —pregunta Alexander inquieto—, bueno, el borrador, ¿qué papel desempeña en este asunto?

—Pronto lo sabrás. Pero antes debo señalar un par de datos.

María, a juicio de Alexander, había retomado el hilo perdido en la conversación anterior. Y en su nueva faceta de intérprete había logrado llegar a los deseos y las intenciones perseguidos por Alexander.

—En verdad —añade María— el rabino había estado presente en la vida de Verne durante los últimos años. ¿Cómo no iba a estarlo cuando fue él quien le propuso publicar sus andanzas por el mundo? «De algún modo estaré presente en todas partes», le había dicho hacía diez años cuando se despidieron. Y Eduard, y te hablo según la versión de Giovanni —advierte la muchacha—, mientras se saludaban le ofreció una sonrisa cómplice y feliz. Pero hay otro hecho que debes conocer: entre Eduard y él —prosigue María— ya se había asentado un malentendido que los años habían ido gestando a las espaldas de sus protagonistas. Eduard ignoraba la palabra escrita como fuente de duda, de contradicciones, incluso de peligros, de profanación del verbo, vamos. Simeón, por el contrario, y había dejado constancia de ello en varias ocasiones, pensaba que tan sólo debía escribirse sobre aquello acerca de lo cual no hubiera posibilidad alguna de error o duda. Y el relato de Eduard, el *Viaje a través de una pluma*, incumplía ese principio, aunque el desarrollo sucesivo del mismo, la introducción, el análisis, incluso el argumento pudiera cumplir algunos de los códigos asumidos por el maestro.

»El borrador sobre Eduard —prosiguió la muchacha—, como habrás comprobado, relata tan sólo una parte de los hechos acaecidos hace un año, después de la entrevista de la que te hablé. Queda por lo tanto una zona oscura, un silencio donde las palabras no pueden hacer nada, abrir ninguna fisura, pues Giovanni no hablará, el rabino de Amsterdam ha quedado sumido en la penumbra de la historia y, en fin, Eduard ha muerto, bueno, ha desaparecido. Pero la verdad, Alexander, se encuentra en otra parte: en el propósito o en la intención con la cual fue escrito el libro de Eduard Verne. Ahí reside el enigma, y si se descubre esa clave, o claves, recibirás la gratificante emoción de encontrarte con el pasado a tus pies, aunque sea un cadáver sin voz ni pensamiento para susurrarte sus intenciones.

María había hablado con intensidad y emoción contenidas. Alexander no pudo disimular su excitación y por su mente se escaparon cientos de ideas —hasta entonces firmemente grabadas y asentadas en sus celdas— para ser sustituidas al instante por otras que se negaban a acomodarse a la nueva lógica, la que en un principio Alexander consideró imaginaria.

El manuscrito entregado por María a Alexander incluía el relato de hechos que le habían acontecido a Eduard durante su estancia en M... Alexander reflexionó aceleradamente cuando María detuvo su monólogo interior: Giovanni lo conocería, lo habría guardado en el recuerdo pero sin sospechar que María llegaría a informar de su existencia a Alexander.

«Bien, ésta es una de las posibles interpretaciones», pensó Alexander en una de las pausas de María.

—De ese modo —la voz de la muchacha se hace entrecortada— cuando Giovanni recibe la visita del rabino (entrevista a la que circunstancial y ocasionalmente asistí) se le informa del alejamiento de Eduard de las decisiones y principios que rigen la comunidad holandesa los cuales deben aceptar y seguir todos sus adeptos. Es entonces cuando la figura de Giovanni adquiere toda su importancia: debe delatar a Eduard Verne y para ello debe conocer sus intenciones. Mantiene entonces periódicas reuniones con Eduard en la más estricta ortodoxia y sin que él sospeche los ocultos propósitos de tales conversaciones. Un buen día Rabbi Simeón se presenta de imprevisto en M..., los acontecimientos en Amsterdam se han acelerado, se necesita un informe rápido, urgente, Eduard ha publicado un libro y las autoridades judías lo consideran injurioso, un desacato, no imprimible. Giovanni acelera sus pretensiones ante Eduard, intenta agotar los últimos cartuchos antes de informar a Amsterdam, éste se rebela, desde luego sin sospechar que el círculo infernal se cierra a medida que sus palabras inundan las mentes de sus interlocutores. Es el final, el cebo pica y Eduard cae en la red: el ciclo ha quedado cumplido.

O la primera parte. Pues algo no encaja en la mente de Alexander: el papel final reservado por la historia a Giovanni y María, aunque es posible que el manuscrito hubiera sido escrito por María después de informarse de la conversación entre Giovanni y Eduard (y de la entrevista con el ortodoxo Simeón).

Capítulo 23

*Quibusdam destinalis sen-
tentiis consecrati quae non pro-
bant coguntur defendere.*

Cicerón, *Tusculanas.* II, 2

Alexander visitó a Giovanni al caer la tarde.
Cuando salió de casa desde el murmullo del Mediterráneo le llegó fulminante una idea, una vaga gota
de lucidez en la seca esponja de su conciencia —así
pensó él—. Aunque incapaz de materializarla en palabras o de ordenarla lógicamente ahí la mantuvo,
latente. Pues desde la conversación con el bibliotecario y desde la que mantuvo con María, su índice
de neuronas —reflexionaba escéptico— había ba-
jado sustancialmente. Giovanni no había dormido
en casa, eso permitió a Alexander reflexionar durante la noche de insomnio por la que pasó. A primera hora de la mañana había llevado el manuscrito a la recepción de correos; lo había enviado en

sobre certificado a su propia dirección en París, de
ese modo aseguraba su conservación de cualquier
maniobra imprevista. También había quedado
con María en la Estación Sur. La muchacha había
decidido tomar el primer tren nocturno con un destino desconocido para él. Una llamada de teléfono
había sido suficiente para aplacar los nervios de
Burton; tuvo que soportar una serie de reprimendas
por incumplir los acuerdos previos, pero las soportó
estoicamente: no se encontraba con ánimos para explicar al editor las vicisitudes de los últimos días.
En cuanto al bibliotecario había dejado una nota en
sobre cerrado al encargado con el expreso encargo
de entregársela a Mario en mano, lo más pronto posible.

—¿Qué historia me estás contando?

Alexander acercó su rostro al de Giovanni, creyó
por un instante asistir a una puesta en escena ficticia, tragicómica, casi dramática si no fuera porque delante de él se encontraba un hombre cuyas
palabras reafirmaban con convicción una historia:

—Créeme, Alexander —apuntó Giovanni—, sabes
que trabajo en esto desde hace años, y que mi capacidad de invención es muy baja, yo diría que nula
—su voz ahora adquiere un tono intimista—. Me
es indiferente que me creas o no, tan sólo escucha,
después puedes juzgar los hechos como desees. Son
muchos años, Alex, muchos años sin vernos, ¿comprendes?, una vida sin hablarnos... Hemos cambiado, eso es lo que quiero señalar. Pero además tú desconoces mi pasado, mi filiación, por supuesto no me
refiero a mi adscripción política, militante, que no
la tengo, en eso no he cambiado, pero en fin desconoces mi actividad... llamémosla para abreviar, po-
lítico-religiosa, ¿comprendes?

—Bueno, de acuerdo, ¿y? —protestó Alexander.

—Que me han presionado, me han avisado.

Giovanni observa fijamente el rostro del amigo. Hubo un breve silencio. Alexander miró a ambos lados del sillón, más allá del espacio invadido por los dos cuerpos, luego dirigió la vista hacia Giovanni. Incrédulo, repitió, casi recitó las últimas palabras del amigo:

—Avisado, avisado... —su rostro refleja una mueca de incredulidad—. No entiendo nada, no sé a qué demonios te refieres. ¿Quién, cómo? No comprendo nada. ¿Y Beatriz?

Giovanni tarda en responder, sirve unas copas, se levanta, pasea hacia la ventana, encoge los hombros, se sienta de nuevo.

—Ya lo sé, ya lo sé —dice con la tranquilidad de quien prepara una sorpresa aplazada con oscuros propósitos, imprevisibles en cualquier caso para Alexander—. Lo sé, María tenía razón, existió esa entrevista, se celebró, pero lo confieso sinceramente, créeme, no debería hablarte de ello. Ella tampoco debería haberlo hecho. Pero en fin, los acontecimientos ya se han desencadenado y debo aclararte algunos extremos desconocidos para ti. Me han avisado, te dije, o mejor dicho —Giovanni habla ahora con pesar—, y te hablo de hace, digamos, unos tres años, dos antes de la trágica desaparición de Eduard Verne, bien, pues recibí la visita de un miembro de la comunidad de Amsterdam. Sabes —prosiguió Giovanni— que siempre tuve una relación más o menos estrecha con esa comunidad, según lo permitieran las circunstancias del trabajo, los viajes o los traslados, por supuesto. Conoces ya a Rabbi Simeón, María te habló de él...

—Muy superficialmente.

—Bueno, ya, pues fue él quien me visitó aquí, en M...
—Ésa fue la primera entrevista.
—Sí, pero no saqué nada en limpio. Fue eso, un aviso. Y como todos los avisos, y sobre todo el primero, el hermetismo es el arma predilecta empleada por quien tiene el poder y sabe que lo tiene.
—No entiendo nada, sigo sin entender nada.
—Él, Rabbi Simeón, conocía a Eduard Verne de la época en que había sido su maestro años atrás, cuando Verne, un adolescente inquieto e inteligente, a instancias de su padre recurrió a las enseñanzas del rabino de más prestigio en la ciudad. No te extrañe tal decisión, responde a una antigua tradición transmitida de modo natural a lo largo de los años. Yo también conocía a Eduard, y a Rabbi Simeón por supuesto. Sin embargo Eduard y yo habíamos roto nuestro contacto hacía tiempo, él era más joven, pero en fin, desde la época de licenciados, aunque siempre guardamos una relación cortés y sincera, no pudimos evitar ciertos enfrentamientos ideológicos. Tú me conoces y sabes que mis enemistades han sido siempre producto de diferencias de criterio, conceptuales, intelectuales o como quieras llamarlas, pero nunca por motivos personales. Bien, entonces cada uno sigue su camino, apareces tú, formamos el club, Marion se integra entonces más formalmente en las tareas de la revista, conoce a Eduard y al final de los sesenta creo recordar le pierdo la pista. Estuvo en América, también en algún país de Europa antes de afincarse en la costa mediterránea, pero poco más sé de él.
—¿Cuándo llega a M...?
—Creo que hace cuatro años, o tres, no es exacto pero debió de suceder por esas fechas. Marion le había presentado a Burton en New York, en la época

en la que trabajaba en la *New Yorker Review* y cuando llegó a M… se integró con facilidad en *Isla Literaria*. Ya sabes que yo nunca figuré en el *staff* de la revista, sin embargo él enseguida destacó y logró un puesto fijo.

Capítulo 24

Quasi quidquam infelicius sit
homine cui sus figmenta dominantur.

PLINIO

Pero ni siquiera los actos humanos son controlables por aquellos que los provocan, o al menos en ocasiones puede aparecer la parodia inesperada, producto sagaz del destino, que llegue a interrumpir o al menos aplazar los pasos de ese destino. Llámese azar, llámese predestinación, la conversación se vio interrumpida cuando María apareció en el cuarto. Alexander se levantó y ella pareció sorprendida de su presencia, inesperadamente se acercó a Giovanni y algo le debió señalar en el cuarto que Alexander no llegó a entender, pero la muchacha le hizo un gesto y con suma y extraña cortesía le invitó a dejarlos solos durante unos minutos.

No fue consciente Alexander de la situación hasta que se encontró en su cuarto, pero ni siquiera el esfuerzo reflexivo llegó a apaciguar su ánimo, ni siquiera la lucidez a la que firmemente estaba convencido de haber llegado logró esclarecer la visita de María. Y en las entrañas de la memoria no encontró la desfigurada imagen de Giovanni, ni la de Marion, ni siquiera la de María, ni por supuesto la de Roger Burton (a quien no había visto, extrañamente, desde que había llegado a M...).

Se hundió, en la noche, en la lectura del manuscrito.

Cruce de palabras, de personajes obligados a hablar con distintos registros, bajo nombres supuestos —a su juicio, vorágine de personajes impersonales—, también entregados mediante sonidos desconocidos, ignorante Alexander de sus alambicados pasados, más cercanos a aplicados artistas de la palabra que a convictos destinatarios de un maléfico desenlace.

Pero el manuscrito —ya escrito por quien fuera— había recorrido parte de su destino: se encontraba en sus manos, se le obligaba a participar de su sentido cualquiera que fuera el propósito original. Además, ¿qué importancia tenía ahora ese sentido?, ¿por qué debía de interesarle? A lo sumo María le ofrecería uno de tantos; su interpretación ante unos hechos que, por ende, ya habían recibido la pátina de la historia, es decir, la encrucijada de dos hombres que, en la inocencia de una historia, habían sido protagonistas de unos hechos.

Por lo tanto él debía interpretar, a la luz o a las tinieblas del pasado, los hechos que antecedieron a otros hechos.

Capítulo 25

*Verba eorum ne timeas, et
vultus eorum ne formides, quia
domus exasperans est.*

Ezequiel, 2:6

Manuscrito de María (II)

Él, Eduard Verne, podía ofrecer múltiples explicaciones a la interminable cadena de hechos. No en vano conocía —y la había vivido— la lógica rabínica, la de él, la de Rabbi Simeón y su escuela de Vlotenburg, y ello no era impedimento para hacerla extensible a otras escuelas, incluso a aquellas consideradas librepensadoras. «Pero en el fondo de la maciza cabeza de Simeón —pensaba Eduard mientras el rabino guardaba su sereno semblante tras los anteojos— el reproche de secretismo esconde, tras su fluida y directa presentación expositiva, un férreo soporte lógico.»

Era cierto, Eduard Verne siempre ocultó la fuente de los relatos entregados a la revista, aunque él se lo agradeció en repetidas ocasiones —a él, a Rabbi Simeón, de inagotable capacidad y encanto para transmitir la mágica palabra; palabra sagrada en su boca cuando la empleaba y fuente inagotable de conocimiento para quien, como Eduard Verne, la escuchaba—. Pero los límites de esa palabra se le ofrecían con toda la crueldad y crudeza de la que eran portadoras: su sacralización en aras de un pensamiento infranqueable, intocable. Máxima crueldad cuando Eduard no era portavoz de esa memoria. Así pues, el relato, producto de la oralidad del holandés, se resentía de esa memoria ausente, de su lento fluir, aunque él, Eduard, había logrado hallar en la palabra escrita el reflejo de un discurso lleno de vida y de alma.

Pero la conversación entre los dos hombres en el café *Aux Vieux Casques* es muy distinta de aquella otra de hace diez años. La vehemencia y el entusiasmo del maestro puede que ya se hayan trocado en recelo y desconfianza. Eduard Verne, por el contrario, mantiene su firme consideración ante el rabino, aun discrepando del escepticismo ante la palabra escrita. «¿Para qué escribir?», interrogaba el rabino. Y él mismo respondía con vehemencia: «Para que algún día la memoria se deslice como el agua sobre las rocas, borrando las aristas, perfilando y puliendo la historia».

¿A quién le dirige esas palabras, puede pensar Eduard? El holandés sabe perfectamente la opinión del discípulo, pues conoce la estrecha relación que la escritura y la inmortalidad mantienen entre sí.

Simeón ha huido de la mirada del discípulo, no ha fijado la vista en Eduard como era su costumbre en otras ocasiones. Parece reflexionar en alta voz, que sus palabras fluyen —ha hecho suyas las del Apocalipsis—, que su verbo se dirige antes que al discípulo a *una especie de hombre genérico sin corporalidad específica. Ya ha recurrido al latín —extrañamente, tal vez por un singular respeto hacia el discípulo—: «Noli temere: ego sum primus, et novissimus...». Y Eduard prosigue el recitado de memoria: «...et habeo claves mortis, et inferni».*

En el principio era el Verbo, ya lo sabía, lo recordaba, le venía a la memoria como el reencuentro con las primeras palabras, con las metáforas olvidadas, con el discurso bíblico de sus maestros. Y sin embargo, ¿qué es lo que trastorna a Rabbi Simeón, piensa Eduard, y puede pensar cualquiera que contemple su rostro y escuche su pensamiento?, ¿cuál es el secreto celosamente guardado por ese anciano obsesionado por su mente despierta, por su lucidez —fatal al ser obserbada por los otros—, persiguiendo sus fantasmas ortodoxos? («El Eterno no revela los supremos Misterios sino a aquellos que le temen», puede pensar Eduard.)

«Desconozco los caminos a seguir —le dice Eduard—, tanto como las razones que me han llevado hasta aquí. Tan sólo conozco los caminos que no sirven. En realidad lo único que conozco es el deseo de alcanzar la fantasía, ayudado, si así lo deseas escuchar, de ese ego sum primus et novissimus, ese dios que vive in saecula saeculorum. Es un sueño, créeme, desesperadamente perseguido, más fuerte que la creencia en un dios —sea éste el hebreo o el cristiano—, irrenunciable, contra el cual la excomunión, el Herem anunciado, nada puede, pues contra las palabras no se puede luchar —si son expresión del pensamiento—, y sin embargo tú me las has enseñado.»

«Ese libro —responde suavemente Simeón después de un reflexivo silencio y mientras sus manos hacen

malabarismos en el espacio—, ese libro ha ocasionado un profundo pesar, ¿sabes?, un enorme desengaño.»

Eduard lo interrumpe, le ha mirado a los ojos y ha deseado que sus palabras agrietaran la maciza e impenetrable cabeza: «Son mis palabras, mis pensamientos, mi historia», *exclama arrebatado con convicción y furia contenidas. Y espera la rápida respuesta del rabino:* «Faciendi plures libros nullus est finis», *apostilla el rabino lanzando una mirada mordaz e irónica sobre el discípulo.*

«Eclesiastés dixit, *precisa Eduard con desgana, para proseguir al instante: No se trata de urdir una historia ajena, aunque haya utilizado un material propicio y no exclusivamente original, mío, sino de hacer brillar el reflejo de la memoria —aunque sea la tuya—, dar transparencia al invisible pasado, desprender a las palabras de su misterioso y hermético ropaje, ¿comprendes? Más allá de la prohibición que puedas imponerme lo que deseo es recordar, huir, ¿de qué? Quizás de la muerte. Y quien quiera alcanzar esa meta debe recurrir al único medio disponible: la palabra, todas las palabras, la palabra.»*

¿Fue éste el diálogo que antaño mantuvieron los dos miembros de la comunidad holandesa? Es posible que el maestro no comprendiera al discípulo, no entendiera la necesidad oculta, inconsciente —e inconsistente si se quiere—, pero no menos real, intraducible diríamos, de Eduard Verne. Quizás también —seguro, pues el destino no anuncia los misterios que la historia y el tiempo desvelan con el beneplácito del azar—, quizás tampoco el holandés logró entender la decisión del discípulo, aunque no le fuera posible predecir el cruel final que se le había reservado.

Pero en cualquier caso, por vez primera, Eduard descubrió en el semblante paralizado del holandés no tanto la envidia —tan lejana en apariencia de su persona-

lidad— como la ira, a la que sí era proclive a caer el rabino, a la vez que una reprimida violencia, latente, es cierto, no traslucida verbalmente. Tal vez en el tiempo en que no estuvo bajo su influencia habían hecho mella en él el odio y el remordimiento, esos enemigos tenaces y fatales; quizás, a diferencia de la trayectoria seguida por Eduard, Rabbi Simeón se alió con otros teólogos, amigos en un pasado lejano, y aprovecharon para presentar ante las autoridades la denuncia que desencadenó la expulsión de la Sinagoga.

¿Por qué no? Cuando no se puede justificar el poder el fanático recurre a la violencia. Pero esas voces que hablan distorsionadamente son interiores, especulaciones abstractas —más bien los historiadores las considerarían, de acuerdo con Eduard, conjeturas—, no menos reales, es cierto, si desde ellas se pudieran atisbar, a través de los muros de la historia del café, las roncas palabras del escritor Verne.

Es cierto, la historia de Eduard se cubre en ocasiones de voces enturbiando el entorno del mundo rabínico, sus maniqueos discursos. Y así se lo expresó cuando las desavenencias llegaron a agrandar la distancia entre ellos, a ocultar sutilmente e incluso a paralizar el diálogo.

«Et audivi vocem —recuerda nuevamente Eduard la visión gráfica de las voces de las Escrituras que ya ha hecho suyas— de caelo iterum loquentem, et dicentem: Vade, et accipe librum apertum de manu angelli... Et dixit mihi: Accipe librum, et devora illum...».

Es el final, de nuevo el Verbo ha dictado sus normas. Otra voz —la de Rabbi Simeón— sonará en sus oídos de distinto tono, disonante, pero él ya no encontrará en esas palabras la seguridad de su comprensión.

«Et audivi vocem», se dirige Eduard al interlocutor, aunque para no herirle, opta por expresarse en len-

197

gua hebrea: «*Tú, hijo de hombre, escucha lo que yo te digo, no seas tú también rebelde... Abre la boca y come lo que te presento... Miré y vi que se tendía hacia mí una mano que tenía un rollo... Y me dijo: "Hijo de hombre, come eso que tienes delante, come ese rollo..." Yo abrí la boca e hízome él comer el rollo, diciendo: "Hijo de hombre, llena tu vientre e hincha tus entrañas de este rollo que te presento". Yo lo comí y me supo a mieles.*» (*Ezequiel, 3:1 ss*).

¿Puede estar seguro Eduard de que el rabino comprenderá sus argumentos? El discípulo no oculta sus dudas ante las muestras de mutismo que le ofrece el rabino. En la inmensa profundidad de su maquinaria intelectual están presentes suficientes hilos de Ariadna formando una geometría tiránica.

«Sucedió bruscamente —dice Eduard elevando los brazos—, siquiera de modo imprevisto. Una noche, al poco de haberme confiado tu historia, de quedar embebido por la fuerza del relato, tardé en recordar las palabras, tal era mi aturdimiento. Fui arrebatado en espíritu y escuché una voz tras de mí, una voz ronca, fuerte, distinta a la que me enseñaron, a la tuya —vocem magnam tanquam tubae— que penetraba en mis sentidos y clamaba: "Quod vides, scribe in libro". *Entonces escribí. Al poco tiempo —ese tiempo del que si me preguntas qué es no lo sé, como observara San Agustín—, al poco tiempo, repito, sufro una conversión y se me facilita lo que con el tiempo fue una huida, un destierro, una condena al mutismo, como muy acertadamente me hizo ver Gaetano Sarti en aquel tiempo.*

»Pero nada impidió —prosigue exultante Eduard— que las palabras se acercaran a la pluma de la imagi-

*nación y fluidamente fueran impregnando mi historia
de historias, mi conciencia de memoria. Y por qué no,
Montgu estaba detrás, y también Mendelsshon, incluso Wells logró arrastrarme tras el canto de su palabra.
Simeón, ¿en verdad creerás algún día en estas palabras
aunque sus signos se entremezclen con las enseñanzas
recibidas de ti?»*

*Eduard hizo un alto en su discurso, roto, disconti-
nuo, agotador en su concepción, aunque seguro, como
si alguien o algo se interpusiera entre su hondo balbu-
ceo y el apasionado relato. Tal vez —pero ¿podía ase
gurarlo?— acogiera dentro de él a dos personas, una de
las cuales le dictaba y le orientaba entre los múltiples
significados de las palabras y la otra —cual genio ma-
ligno— le apartaba de la lucidez y búsqueda del sentido original. Y recordó, por razones inexplicables, a
Abufalia, cuando hablaba de cómo las letras penetra-
ban en su mente y rodeaban la imaginación, cercaban
las ideas y aguzaban la mente aunque no era consciente de cómo influían en sus decisiones.*

*«Bruscamente —prosiguió Eduard— otra voz se
lanzó detrás de mí, a las espaldas, casi sin despertar la
consciencia de mis actos, actuando sobre esa parte del
cerebro donde se forman las ideas, donde la memoria
lanza los dardos de los proyectos, guía a la voluntad,
señala el horizonte. Y se rompieron las cadenas de la
prohibición, Rabbi Simeón, se quebrantaron las disposiciones, las normas, pues una palabra, sagrada
para mí, iba adquiriendo forma y color, vida y sentido;
una palabra que, por vez primera, se construía para
mí, se creaba por mi propia voluntad.* In ipso vita
erat.»

*«Así es, Rabbi Simeón, he luchado durante el tiem-
po eterno de mi éxodo. Lo sabes, o lo sabías:* non sum
eloquens ab heri et nudiustertius, *pero tú me tendiste
la mano, al igual que Yahve a Moisés, como el señor al*

siervo, aun olvidando que hablabas ad servum tum *y que* impeditioris et tardioris linguae sum. *No lo he olvidado.»*

«No lo he olvidado», repite Eduard.

Y detiene su discurso para sentir el lento silencio de su maestro, el palpitar de su verbo locuaz sobre sus pensamientos, para recordar las bellas palabras del Éxodo, *formadas singularmente en su cabeza, aunque temeroso todavía de pronunciarlas ante él, ante su tormentosa presencia:* «Perge igitur, et ego ero in ore tuo: doceboque te quid loquaris». *Palabras que se niega a ofrecérselas como si de un reproche se tratara, como postrer tributo a quien, causante de su angustia y rebelión, estando presente ante él, con su sola presencia logra inmovilizar su palabra.*

Y ahora, en el preciso instante en que las paredes del local semejan a una fortaleza inexpugnable, cuando las sombras del Mediterráneo despiertan del sueño eterno, él, Eduard, es consciente de la evidencia de su rebelión, que no es más que la rebelión ante la herencia legada por el maestro, por su dios, por su pensamiento, por su lengua.

Eduard cerró los ojos, se agitó en su asiento, paralizó su palabra. Rabbi Simeón no transmite ningún gesto, de inquietud o emoción, ningún sentimiento; aunque Eduard puede sospechar el impacto producido por su oratoria, puede traducir a términos ortodoxos el pensamiento expuesto en el torrente de palabras. Y, cómo no, sus maestros ocuparían un lugar privilegiado en esa arquitectura. En efecto, Rabbi Simeón hablará —hablaría entonces, pero ya había hablado con su silencio— y diría, siguiendo su lenguaje, que la inteligencia de los mortales tiene un límite en el que debe detenerse. De ahí que el atrevimiento intelectual de Eduard cause desasosiego en el maestro. «Incluso lo que un discípulo se dispone a enseñar en presencia de su maestro, fue ya dicho a Moisés en el Sinaí», recita Rabbi Simeón las palabras del Talmud. «Nunca debiste forzar la palabra —prosigue, no sentenciando, ni siquiera poniendo énfasis en su acento, tan sólo dictando su pensamiento—. Ella habla por sí misma, habla si así lo deseas; pero con la lectura de tus actos ha hablado tu propia voluntad: no has respetado las observancias de la tradición, no has cumplido el precepto de mantener la tradición oral intacta, antes al contrario, orgulloso de tus principios, las has interpretado y expuesto por escrito al arbitrio de tu vanidad y de la de aquellos que la han seguido.»

Rabbi Simeón puede decir —lo ha dicho, pero ¿lo ha oído Eduard, ha escuchado ese reproche de traición?— puede decir, piensa Eduard, que él le ha enseñado la tradición, la palabra, el Verbo, que la ha aprendido de Zahar Rabbarím, que la aprendió de su maestro, quien a su vez la aprendió del suyo, quien a su vez se la enseñó al suyo; transmisión, cadena del eterno retorno, realizada desde Moisés a partir del monte Sinaí, que ha llegado hasta él, quien la debe aceptar como el privilegio concedido por la historia encarnada en las sucesivas figuras del Maestro, ese maestro omnisciente que se pasea por el mundo y que puede conceder generosamente las claves del secreto de la palabra.

«Quien conoce el secreto de la palabra —piensa Eduard— tiene el poder.» Pero el rabino se levanta, recorre el salón del café y se detiene en la puerta de entrada. Eduard no puede sospechar sus intenciones, ni tampoco se lo propone, hace tiempo que han dejado de preocuparle, pues acepta un destino ante el cual no tiene la última palabra. «Tan sólo deseo —piensa para sí, mientras contempla la espalda del maestro— ser escuchado, única prebenda esperada por quien ya ha sido condenado.»

Eduard está convencido —ahora, cuando sus actos han pasado a constituir parte de la toma de decisiones futuras— que quizás existan dos concepciones distintas: la suya propia, donde el mundo ha sido creado por la intervención del lenguaje; y la de Rabbi Simeón, cuyo concepto del mundo permanece inalterable ante la intervención del lenguaje, en cuanto ha sido escrito —digito Dei— por el Creador, y el hombre ni puede ni debe intentar igualarlo o sustituirlo.

Se levanta con pesadez y se acerca al holandés. Alguien que pudiera contemplar la escena sospecharía de Rabbi Simeón, de sus calculados movimientos, de su lento y pesado cuerpo, de su mirada hacia el exterior del Aux Vieux Casques, de su lento movimiento al apartar las cortinas e inquirir del discípulo una explicación: «Debes saber que los secretos no se transmiten más que al hombre prudente, al sabio pensador que se exprese inteligentemente», dice Simeón sin apartar la vista del ventanal. Para añadir a continuación: «No debes decir con su boca (de memoria) lo que se halla escrito; ¡y tampoco debes poner por escrito las palabras destinadas a ser dichas!». Eduard asiente y guarda silencio. Piensa en la dificultad para encontrar aquellas palabras justas que definan del único modo posible su pensamiento. ¿Cómo explicarse, cómo encontrar el modo de justificar el encuentro que él, Eduard, tuvo con la verdad, con la sabiduría, con la palabra? ¿Cómo explicarle los motivos que le llevaron a escribir esa tradición oral, que le llevaron a ser acusado incluso de saduceo? ¿Cómo explicarle las palabras recibidas desde la fuente de la inspiración: «Te daré lo que ningún ojo ha visto, lo que ningún oído ha escuchado, lo que ninguna mano ha tocado y lo que nunca se le ha ocurrido a una mente humana»?

Piensa Eduard en la respuesta de su maestro, en el escenario natural de un diálogo imposible. Escucha su

propia voz fija en la nuca del maestro recitándole el texto gnóstico de Nag Hammadi: «Te daré lo que ningún ojo ha visto, lo que ninguna mano ha tocado...».
Rabbi Simeón mueve la cabeza, sus ojos se detienen en los de Eduard. Alterado, se lanza hacia atrás, extendidos los brazos abarcando la sala para exclamar antes de que Eduard finalice su oratoria: «¿Qué dices, qué dices, cómo te atreves? Fulmine divino intereat ipse».*

Y a partir de ese instante algo se rompió entre las dos miradas. Eduard asió con terror el abrigo de Simeón, buscó en él la forma física de aplacar el dolor, la angustia producida por la maldición. «Fulmine divino, fulmine divino, fulmine divino», *repite Eduard mientras recorre el largo corredor y en su mente se forma la imagen latente del rechazo del hombre, para llegar a la mesa, encontrar en ella la capa y descubrir en su color y recuerdo la angustia.*

Y en la nebulosa constelación de signos e imágenes resplandecientes a su espalda la sonoridad del cuerpo de Rabbi Simeón se tradujo en un eco de voces acelerando su nervioso movimiento de manos.

«Es necesario que desaparezcas —anuncia desde la nuca la voz de Simeón que en los oídos de Eduard suena como un eco—, que la muerte se instale en tu cuerpo para que el pasado, despreciado hasta el agotamiento con tu altiva presencia, también desaparezca, para que de ese modo el porvenir llene el vacío dejado por tu figura. ¿No lo comprendes, Eduard? Es a una ley más férrea que cualquiera de las conocidas, a una norma más antigua que nuestras vidas a la que apelo y en la que me apoyo para guiar y justificar mi decisión, ¿comprendes? Abrí mi corazón a tu apetito de ficciones, y sabía que me traicionarías, que sería suficiente una señal para convertir la narración oral en literaria. Y has aplacado ese deseo de saber y de poder con tu vida, pero has merecido el camino elegido al apartarte

de una fe sobre la cual la duda tiene un precio más alto que la vida.

El eco parece detener su oratoria, Rabbi Simeón llevó la mano izquierda a la frente, cerró los ojos y sentenció finalmente: «Lo que se lee es cuerpo y lo que se escucha es alma», Eduard, «se sigue al maestro con los ojos».

Eduard cerró los ojos cuando sus manos alcanzaron a cubrir el rostro. Mientras, el rabino mantuvo su mirada firme sobre el discípulo, y el silencio alargó y extendió la consciencia del tiempo.

Entonces Eduard recordó las razones que le habían llevado a conservar la capa, allá, en el tiempo perdido: «Para mejor tener presente que el pensamiento no siempre es amado por los hombres». Pero ya el rabino había atravesado la puerta para desaparecer de su vista, para ser tan sólo sombra al otro lado del espejo, sombra de un dios ofreciéndole la disección de un laberinto.

Ya al final del día, ocultos tras la niebla de la noche, difuminadas las ideas en el vendaval de las horas, rotos por las palabras, Eduard y Rabbi Simeón se cubrieron con las capas. Hubo un tímido saludo del rabino, leve ademán de la mano, más como cortés saludo que como anuncio de una despedida —quizá, pues su rostro se mantuvo inexpresivo ante la mirada del discípulo—. Eduard levantó la mirada, se cubrió con la capa, la asió con fuerza y envolvió en ella su débil cuerpo, tan distante, extraño y lejano hacia las cosas, tan alejado de él como el horizonte de la calle, tan ajeno y tan cercano, paradójicamente, como la luna entrevista entre la neblina de los ojos.

La noche, al término de sus miradas, se cierra, se

agolpa en la mente del discípulo, se entreteje de pala-
bras, de imágenes, de olor a posada, de sabor a vino.
Mientras, Rabbi Simeón murmura para sí, enlaza pa-
labras lejanas a los oídos. «¿Qué dice, acaso cita o
recuerda a Virgilio?», piensa a su vez Eduard, en tanto
la memoria balbucea en la mente nox atra cava circumvolat umbra.

    «¿Qué murmura? —piensa Eduard para sí—. Qui-
zás es consciente de su dominio y poder, y al término
de una de esas casualidades de la vida en que dos per-
sonas confirman su desacuerdo, piense que sobre
grandes errores se han construido increíbles verda-
des.»

    Mas cuando la noche recibió los pasos de Eduard y
abrió sus sombras al frío horizonte del muelle, Rabbi
Simeón se le acercó, hundió su mano en la capa de
Eduard y el discípulo sintió en su cuerpo el peso nebu-
loso e indeseable del pasado. Tal vez —pero ¿quién
puede saberlo?— comprendió entonces el secreto su-
premo del cuerpo, tal vez, ciego por el dolor, escuchó
palabras ininteligibles hasta ese instante, o tal vez su
mente vagó por el áspero territorio de la lucidez para
encontrar, al final de la noche, la respuesta a sus sue-
ños.

Capítulo 26

> *Cuando se acerca el fin, ya no*
> *quedan imágenes del recuerdo;*
> *sólo quedan palabras. No es ex-*
> *traño que el tiempo haya con-*
> *fundido las que alguna vez me*
> *representaron con la que fueron*
> *símbolos de la suerte de quien*
> *me acompañó tantos siglos. Yo*
> *he sido Homero; en breve, seré*
> *Nadie, como Ulises, en breve,*
> *seré todos: estaré muerto.*
>
> BORGES, *El Aleph*

Después de leer repetidas veces el manuscrito no pudo sustraerse a un pensamiento martilleante en su cabeza desde la primera lectura: el nombre de Eduard Verne era citado un centenar de ocasiones en las escasas treinta páginas de que constaba el documento, y el de Simeón medio centenar aproximadamente. Percibió una peculiar singularidad: si en algunos párrafos intercambiaba el nombre de Eduard por el suyo propio, y el del Simeón por el de Giovanni en otros, el relato no sufría ninguna alteración, la lógica de la historia no perdía sentido, ni siquiera las consideraciones más personales o subjetivas, podría decirse, alteraban lo más mínimo la carga argumental. Tal permuta no sólo podía llegar a confirmar parte de las opiniones vertidas por Giovanni en la conversación, sino también la capacidad de la historia para adquirir una aberrante complicación, molesta profundamente para los propósitos de Alexander.

Tal circunstancia le había inquietado moderadamente al principio; mas no consideró prudente ponerla en conocimiento de nadie, aun siendo consciente de ella antes de entrevistarse con María y Giovanni. Desde luego se enorgulleció de tener la feliz idea de introducir el documento en cuestión —con toda la paciencia de la que fue capaz— en el ordenador de la Biblioteca; entonces fue cuando confirmó la primaria intuición. (La gentileza del bibliotecario fue inestimable como guía de los sistemas de informática oficiales). Con sólo pulsar dos teclas el cambio de nombres pareció confirmar sus sospechas: el escrito era no tanto ambiguo como paradójico, no tanto absurdo como intencionado. La conversión provocada en pasajes precisos le ocasionó tal impacto que en ese instante creyó haber encontrado una de las claves de las que le habían hablado días antes diversas personas, incluida María. No obstante, reprimió su alborozo; quedaban cabos sueltos por atar y las incertidumbres no desaparecían todavía de la mente: el hermetismo de los signos del *Manuscrito* persistía implacable.

Giovanni lo había recibido en el camastro aquejado de un ataque de tos que le impedía hilar las palabras ordenada y fluidamente como era su costumbre. Aguardó inquieto el paso de los minutos a la espera de ver aparecer en la puerta la figura de María; tentado estuvo de acechar la conversación, mas no sabe muy bien qué razones le impulsaron a aguardar en su cuarto embebido en reflexiones múltiples —a cuál más absurda o descabellada— sobre la imprevista visita de la muchacha. Por su mente pasó una imagen, hacía tiempo olvidada, pero presente e incapaz de borrar: el rostro severo, desencajado de Giovanni al aparecer la muchacha en el marco de la puerta.

«Tal vez identificó a María como la responsable de haberme facilitado el manuscrito, tal vez —dijo para sí Alexander—. Pero eso tan sólo es una conjetura.»

Sentado ante Giovanni Alexander pasaba las amarillas hojas en una pertinaz búsqueda del oculto y misterioso mensaje extraviado en sus pliegues. La atenta mirada de Giovanni se deslizaba furtivamente de vez en cuando sobre el pensativo Alexander. Al cabo de un tiempo dejó caer con calculada entonación:

—Rabbi Simeón... —levantó los anteojos para observar el resultado de sus palabras.

—Ya está, lo encontré —dijo alborozado Alexander.

—Me alegro, ya pensaba que te habían raptado las musas.

—Escucha: «Para mejor tener presente que el pensamiento no siempre es amado por los hombres».

—Spinoza *dixit* —subraya Giovanni.

—No digas tonterías, está aquí, en el informe.

—Pero es de Spinoza, mi querido Alex, esa cita es de nuestro querido racionalista don Benito.

—Muy interesante, muy interesante. Me pregunto si quien escribió el texto sabía el alcance de las palabras de Spinoza.

—No lo sé —respondió Giovanni con desgana.

—Me refiero a que si el autor de *El Manuscrito de María*, disculpa, es como lo identifico, no ocultó esa referencia.

—¡*El Manuscrito de María*! —Giovanni aparta los papeles para dirigirse condescendiente al amigo—: *El Manuscrito de María*: vulgar título para una novela de intriga, Alex, vulgar título —repite, ahora con ironía—. No obstante hay que reconocer su exactitud: en tres palabras recoge al anónimo autor y al conocido inductor...

—No me agrada esa maldad...

—Pero es acertado, es acertado. Hasta ahora quienes han tenido el privilegio de acceder al manuscrito no lo han definido con tal exactitud y brevedad.

—Comprendo —señala Alexander molesto por la divagación de Giovanni—. Insisto, me interesan sobremanera las intenciones del autor, no precisamente las de María.

—¿Y por qué? ¿No fue María su amanuense? —exclama furioso Giovanni.

—Es evidente que ella cumplió su cometido, pero no tiene el mérito de su autoría.

—¿Y cómo has llegado a tan interesante conclusión? —declara mordaz Giovanni.

—No nos extraviemos, no me preocupa tanto su contenido como su autoría.

—Es decir, en buena traducción: María —señala triunfante Giovanni.

—El del amanuense querrás decir.

—Mejor hablamos de escribiente.

—Como gustéis. Aunque siempre se escribe para modificar, para cambiar algo, ¿acaso el mundo?

—¡Oh! —exclama Giovanni con inocencia, exasperante para Alexander.

—No me preocupa tanto su contenido como su continente.

—Curiosa paradoja, y rara escucharla en tu boca, el sabio de *Alicia* no la aprobaría —luego, interesado, se enfrenta al amigo:

—Te han hablado del libro, ¿no? —preguntó bajo el inquisitivo recelo de Alexander.

—Me interesa, lo sabes.

—Comprendo, comprendo.

—La única sombra reside en averiguar quién lo ha escrito —dirige una mirada sesgada sobre Giovanni—. Descartada María no creo que Rabbi Simeón haya dedicado sus ratos libres de inquisidor a entretenerse en una tarea menor. Es una sospecha, pero el estilo literario, la claridad expositiva no se corresponden con la figura de ese heterodoxo decimonónico, al menos tal como me ha sido transmitida su figura...

Giovanni no replica; y su silencio exaspera a un Alexander hundido en el asiento descifrando el manuscrito, las palabras que hablan de aquel hombre enfrentado a la muerte.

—Es verdad, pero tu interés está en otro lugar, ya lo sé, te preocupa esa búsqueda del paraíso en la que se embarcó Eduard Verne, ¿no?

—Mejor hablamos de hipótesis o conjeturas. A fin

210

de cuentas su búsqueda era la de otros muchos —precisa molesto Alexander.

—Justamente en ese aspecto estamos de acuerdo los dos —Giovanni se anima inquieto en su precario asiento—. Quienes han leído el Manuscrito de María han señalado unánimemente su labor testimonial, su confesado valor literario y humano, desgarrador desde luego.

—Creía ser el único que había llegado a esa conclusión. Ahora comprendo que se han adelantado.

—La historia está plagada de bellos enigmas, mi estimado Alexander, cada uno tiene el suyo, tan sólo hay que descubrirlos... Ya es importante ir en su búsqueda...

—Pero esa labor no la has emprendido tú, ¿no? Si deseas conocer o descubrir el mío, y por supuesto no hay impedimento alguno por mi parte, lo conseguirás, te lo garantizo, pero tendrás que alcanzar la conclusión tú mismo...

—¿De verdad? —Giovanni adopta actitud escéptica—. ¡Qué sorpresa! Aunque ya comprendo, me recuerda a alguna que otra petulante conversación: «cada uno escribe y piensa lo que desea encontrar... y el verdadero paraíso coincide con el más perfecto de los laberintos».

—Esa frase es de Beatriz, no de Spinoza —y Alexander reprimió sus deseos de no haber herido más profundamente a Giovanni, pero sonrió imitándole imperfectamente con un gesto hiriente.

Giovanni parece ocultar su cansancio. Respira hondo, la conversación le provoca un enorme aburrimiento, una sensación de *déjà vu*.

—Más bien creo que lo ha escrito quien en verdad ha entrevistado a Eduard Verne... Mi opinión, si es que debo confesarla, es que no fue Rabbi Simeón...

—¿De verdad? Alexander, por favor, no tientes a

la historia —señala estremecido Giovanni—. No hay verdad más que para aquel que la merece...

—Tenéis la capacidad del cínico, pero no me has respondido.

Entre las dos miradas se estableció de improviso un duelo de intuitivas respuestas, un preciosista juego de tahúres con el fondo de un previsto duelo. Al poco tiempo la voz de Giovanni llega clara y cercana, casi en confesión, a los oídos de Alexander:

—Eduard nunca comprendió mis deseos, incluso a última hora llegó a enfrentarse directamente a ellos según unos principios totalmente erróneos. En fin, pagó caras sus convicciones —añade concluyente Giovanni.

—Entonces, ¿para qué engañarle? Tú le hiciste creer que si se entrevistaba con el rabino podían llegar a un acuerdo. ¿No fue así? ¡Oh, Dios, Giovanni, le pusiste la soga en el cuello!

—A partir de ahora, Alexander, en la relación conmigo no permito que me trates como a un criminal —Giovanni no reprime su irritación cuando responde con una mirada esquiva.

—Te lo tomas muy a pecho.

—Y por lo que veo os interesa obsesivamente esa historia.

—¿Qué dices? —responde enfurecido Alexander.

—Verne nunca hubiera comprendido la verdad —precisa con forzada seguridad Giovanni—, si quieres saber quién es Eduard Verne, o mejor, para hablar con propiedad, quién fue, deberás recorrer un largo camino. Para empezar tendrás que dejar a un lado ciertos prejuicios que arrastras desde hace tiempo: como el de la transparencia de las personas,

212

como la excesiva confianza en la ciencia, en la filo-
sofía, en fin, ya los conoces, los padeces, ¿no? —afirma con sonrisa sardónica—. Nos conocemos algo,
¿eh? Por lo demás me parece lógica tu actitud
—Giovanni se esfuerza por incorporarse—. Veamos,
¿eres capaz de pensar que no puede haber misterio
inexplicable en las personas, crees eso? Claro, como
buen racionalista lo creerás así —sonríe maliciosamente—. Pero el misterio no es una coraza protecto-
ra, y sin embargo insistes en descubrirlo, lo has
intentado desde que llegaste a M... y no me equivoco. Tampoco lo censuro, te has creído todas las historias que has ido descubriendo por el camino, me
parece muy bien, es tu profesión, no por cierto la de
Eduard Verne. Entonces debes revisar todos los datos, todos los informes, las distintas opiniones, incluso los manuscritos, la correspondencia íntima de
Verne, y al final, cuando el puzzle sea tan enorme y
angosto como un monstruo medieval, fantástico e
inabarcable, te apercibirás de los errores. Pero los
deglutes con el método analítico clásico... Por lo demás Eduard creo que no ha dejado nada de valor
que os interese. Mi opinión sobre el tema es muy
clara: esa búsqueda tras la máscara está condenada
al fracaso; Eduard Verne es alguien y no es nadie,
pudo ser un amigo de la Biblioteca y a la vez un
compañero de la rutina diaria... o el boukiniste de
Quai Mégisserie al que todas las mañanas saludaba
hace años cuando el exilio... o, ¿por qué no?, Rabbi
Simeón, el escéptico ideólogo del lenguaje a la búsqueda de los principios puros, el judío contemporáneo obsesionado en sus investigaciones heterodoxas,
incomprendidas por ende, incluso por sus propios
acólitos. Pero Eduard Verne es... Alexander. Sí, no
te extrañes... Eduard soy yo también, está en mí.
Todos somos varias personas y una sola, distintas

213

entre ellas, por supuesto, distintas en su multiplicidad, pero no tanto como en su unidad. Lo expresaré con otras palabras: no hay identidad posible. Tal vez no lo comprendas, otros antes que tú han creído comprenderlo y han errado en el empeño... Alguien puede decir que es Alguien, pero será banal, gratuito, las palabras, como la muerte, se pasean entre nosotros, nos rozan con delicadeza y nos señalan sigilosamente en un preciso instante de nuestras vidas... como el amor que también cumple sus plazos, incluso como el odio cuando despierta con el alba y acaricia la memoria de la ensoñación. Así es, no hay un Yo, no hay un Tú, sólo hay un Nosotros; por lo mismo sólo hay rostros distintos y una incierta historia cargada de palabras a hombros de prometeos dispersos atravesando las encrucijadas de cada destino. Somos distintas personas y la misma, somos una y mil caras, y sin embargo pertenecemos a la memoria y a la imaginación de la historia. Existimos, en suma, y por lo tanto tenemos un nombre, unas señas, una memoria impresa, eso nos individualiza; pero suprime el nombre, ¿qué queda? Alguien con la piel del tiempo deslizándose entre los dedos, perdida en los caminos de la conciencia, alguien, nada, una llama del ser clamando por una identidad. Soy un extranjero, un extraño, un libro disecado y ya escrito, un arquetipo, un anónimo incumpliendo una promesa imposible: ser él mismo, ser lo Absoluto, ser Todos y ser Nadie.

Cierra los ojos, respira agitadamente y se hunde en el camastro. Los pasos de Alexander parecen detenerse en el extremo del cuarto. La noche inunda los ojos, los rostros se difuminan y el silencio se desliza sobre el camastro de Giovanni:

—Es difícil poder transmitir algo nuevo, algo que no haya sido dicho ya por otras voces, Alexander.

Sin cuestionar tu interés permíteme que te ofrezca mi experiencia: ese manuscrito o ese borrador escrito de un puño y letra, según tu experta opinión, por otra persona distinta a la del rabino me ha sido sustraído indebidamene, es decir, sin mi consentimiento, con palabras más vulgares: me lo han robado.

Alexander hace ademán de hablar, pero es interrumpido:

—Sí, mi querido Alex, ya sé lo que estás pensando, pero déjame seguir, tal vez quien actuó de modo tan reprobable lo haya hecho por una simple precaución: el que desea confirmar las sospechas debe cuidar la búsqueda de los datos, ese preciado tesoro de todo investigador que se precie.

Hubo un silencio en el cuarto, y Alexander se imaginó a dos hombres en la penumbra de un atardecer observados por quien desde la distancia creaba una trama de odio, intriga y falsos testigos.

—Pero responderé a tus inquietudes. De no haber conocido a Eduard tal vez no te hablaría como lo haré ni siquiera podía comunicar mi protagonismo. Bien, ya conoces algo por el artículo de *Isla Literaria*. Bueno, mi estimado investigador —repuso Giovanni rodeando a sus palabras de cierto paternalismo tolerante—, toda la experiencia del mundo ha sido repetida por otros bajo distintas circunstancias, bajo otros horizontes o en otras épocas, incluso con otros medios, códigos, normas o como lo quieras llamar. ¿Qué importancia tiene entonces perseguir la novedad? —hace un alto, adopta expresión severa, tensa para Alexander que no ha dejado de fijarse en el movimiento nervioso de sus manos, aunque los silencios de Giovanni siempre eran expresivos y controlados, fácilmente interpretables—. Rabbi Simeón después de todo tenía razón: la escritura es una copia del habla, una copia o doble como mejor lo desees, imperfecta, copia de la palabra divina... Y no hay que ser un entendido en los oropeles del pensamiento clásico para aceptarlo así. Entre otras razones porque es nuestra única herramienta, al menos la de occidente.

—Pero su lucidez, y creo traducir sus intenciones, como así la llamas —interrumpió Alexander—, le llevó demasiado lejos.

—No lo discuto —concede Giovanni con desgana—, pero para él fue una sorpresa. Cada individuo reproduce la experiencia de otras voces ya apagadas; por lo tanto recurrir a la literatura como salvaguarda de la experiencia es innecesario: la literatura tiene sus límites, y los códigos que la han guiado, bajo los cuales ha creado durante siglos y siglos han quedado inservibles. El código universal, atisbado ahora, entrevisto siquiera mínimamente en nuestro presente, no es el mismo, no lo será tampoco en el futuro. Es decir, ya no serán las letras, las palabras, los libros, sino que más bien serán los sonidos o las imágenes quienes se encarguen de la labor de transmisión.

Giovanni se sirve una copa, pasa la mano por la cabeza y mira ansioso a Alexander.

—La oralidad ha permitido durante cierto tiempo lo que la literatura no ha logrado jamás porque no era su cometido ni tampoco se lo proponía: la expresión del sentimiento y la emoción directas, diríamos que supremas, entre dos voces, entre dos palabras, entre dos seres; en suma, el diálogo, ése era su cometido, ése fue el interés máximo por el cual aún sigue teniendo vigencia y es insustituible todavía. La oralidad incluye por lo tanto la presencia física, tangible, material y corporal, carnal podemos decir —Giovanni levanta la vista hasta entonces concen-

216

trada en el vaivén de sus manos sobre el vaso y la dirige directamente a los ojos de Alexander—. Eso es, cuerpo en carne, sentimiento, nervio y sensación táctil, palabra comestible cuando se lanza hacia el otro, cuando es recibida y deglutida por quien la recibe como pensaban los antiguos.

Las últimas palabras parecen haber agotado al hombre, ha cerrado los ojos y Alexander no ha dejado de mirar un solo instante, inexpresivo y asustado, a quien había compartido los últimos años de su vida.

—El libro, el borrador según tú —y la voz de Giovanni llega débil a los oídos de Alexander—, ése del que te ha hablado María, o Marion, o Roger Burton, o quien sea, y que tú piensas que lo he escrito yo, para qué vamos a engañarnos, está incompleto. De poco serviría declararse su autor, tú no lo comprenderías. Además —sus ojos brillan extrañamente para Alexander— no intentes comprenderlo, no existe interpretación plausible, no existe —afirma tajante Giovanni—, nunca existirá. Sólo se conocen conjeturas. Es más —adopta actitud severa y crítica—: el principio y el final nunca se conocerán, al menos yo no los conoceré. Y sospecho que tú tampoco, ¿sabes?, un libro es una persona, un proyecto inacabado, un paseo por las ruinas de seres indefinidos. Además, es cierto, siempre se escribe para modificar algo, para cambiar, aun a costa de quedarse vacío en el empeño. Quien recurre a la literatura sabe que al final acabará deglutido por ella... Es ley de vida, y quien lo asuma así, quien se confíe a ella, sella un pacto por el cual pagará.

Detiene su verbo. Ha logrado sentarse en el camastro y levantar la mano.

—A decir verdad mi idea es muy distinta de la vuestra.

217

—¿Qué idea, Alex, qué idea tienes tú? —Giovanni suelta una estridente carcajada.

—No puedes ocultar ser el amanuense... —su voz resultó desproporcionada, demasiado forzada, no convincente para Giovanni.

—¿Quieres conocer una interpretación de las múltiples que se pueden ofrecer? Es una historia vulgar, común, repetida hasta la saciedad por los juglares y cuentistas desde hace dos mil años, como todas... Como todos los que buscan el paraíso. María te contaría alguna de esas historias, sabes que yo podría hacer lo mismo y Eduard tuvo la osadía de encerrarlas en la memoria viviente de las palabras... y, en fin, pagó por ello.

Cierra los ojos, hace un esfuerzo de memoria, Alexander se levanta, al final, Giovanni, agotado, cierra las manos y se queja de su inutilidad. Luego añade:

—Bien, no la recuerdo, hasta la memoria se pierde, pero otros la continuarán, se escribirán otros libros, otras palabras, se crearán, creo, pienso, nuevos modelos. Y de ese modo el eterno retorno de las cosas cumplirá la dulce tarea de cerrar el ciclo. Es cierto, ¿no?, ¿no lo crees así? ¿No te das cuenta? Nosotros escribimos la historia, podemos relatarla según nuestra voluntad, más aún, debemos hacerlo moralmente hablando. La oralidad de la que he hablado antes es muy pertinente, sin embargo tiene sus riesgos: o inventamos y nos creemos nuestras propias falsedades o nos convencemos de nuestras fábulas y por lo tanto ignoramos la historia. En cualquier caso la verdad de la que hablarán en el futuro será indescifrable. ¡Oh, Dios, cómo me hace bostezar la historia! Además —añade—, los libros hablan entre sí, como ya sabrás, tienen su historia, sus íntimas conversaciones, sus relaciones particulares, un mundo de influencias y conocimientos mutuos que nadie, ni tú ni yo conocemos ni jamás alcanzaremos a conocer.

Hace una pausa. Añade:

—Sin embargo, me queda un sabor ácido, amargo, pesado, si no estuviera tan agotado, tan hastiado es posible que llegara a escribir su final...

Luego, impulsado por un resorte, exclama, atemorizando a Alexander:

—Alex, no me traiciones, conocerás los secretos de una muerte, estoy seguro, es mi temor, pero no puedo negarte esta confesión, mas tendrás que poner todos tus sentidos e inteligencia a prueba.

Se vuelve hacia el amigo y con tono mesurado, irreconocible, balbucea:

—Dentro de unos instantes espero la visita del bibliotecario. No te pongas violento, es suficiente con su sola presencia, forma parte de la Orden, él observará, tomará memoria cumplida del diálogo, luego se retirará. Es lo pactado.

Capítulo 27

*O scrittore, con quali lettere
scriverai tu con tal perfezione la
intensa figurazione qual fa qui
il disegno?*

Cuadernos de anatomía, LEONARDO DA VINCI

Giovanni como siempre desde que Alexander se había asentado en su habitáculo se dirigió a él sin mirarle, sin disimular que había entendido por qué se había quedado. El bibliotecario se había colocado sus anteojos y observaba a distancia controlada el manuscrito extendido sobre la mesa, a la vista. En pie, con discreta dignidad profesional, esperaba las indicaciones oportunas.

Quien dirige las primeras palabras sin embargo es Giovanni. Eleva la voz, con decisión, una mano en el bolso, la otra rozando el manuscrito bajo las miradas atentas de los dos hombres:

—Me permitiréis una alocución general de todo

punto indispensable. Lo de menos es el acontecimiento, es decir, si ha existido o no en la realidad y con tales o cuales características. El valor lo refleja la noticia; quiero decir, nada existe si no ha sido escrito, impreso o expresado por uno u otro medio ¿Me comprendéis? Ahí tenéis a Eduard Verne: un banal asesinato en una olvidada ciudad, una simple nota de prensa despierta en los tentáculos de quienes asimilan los controles de comunicación. En fin —señala con desgana Giovanni—, podemos decir, tal vez con pedantería, oportuna en estas circunstancias, que Eduard Verne existió, eso es evidente —y si no pongámoslo como cartesiano supuesto—, pero lo demás sólo existe en función del medio transmisor. En virtud de esta evidencia, serpiente macabra y silenciosa lo concedo, es como se entreteje la historia para el noventa por ciento de la Humanidad. Es indudable —observa la influencia de sus palabras en los dos rostros—. Pocos pueden acceder a la lucidez de engrosar la pléyade de los autores o protagonistas de la historia. Tan sólo los artífices de las palabras o de los libros o quienes controlan y manipulan, sin par y con petulante arrogancia, pueden considerarse en algunos momentos, como tales artífices. Sin desconocer, mi estimado y brillante Alexander, o mi dilecto bibliotecario, el encubrimiento de la historia misma, la sutil y telúrica desesperanza de quienes en un instante de sus vidas traspasan la barrera de las sombras para encontrar otra realidad, no escrita nunca, jamás leída por nadie y desde luego tan real, tan histórica, permitidme la expresión, como la conocida cotidianamente con los medios a su alcance.

Alexander hizo un mueca de protesta de la que se apercibió Giovanni, que la ignoró con un gesto entre irónico y cínico y sonrió envanecido.

—Una interpretación general de la historia...
—interrumpió Alexander.

—... Que necesita su ejemplo y se tendrá, para ello os he convocado —añade con seguridad Giovanni.

—Si no he comprendido mal —con grave voz Alexander fija su mirada en la del amigo, impávida, casi hierática, como si esperara despertar una rápida reacción— apelas a la ficción como garantía de la lucidez, ¿no? La muerte de Eduard ¿acaso es una ficción, tal vez una cruenta alegoría? —su rostro refleja indignación, soterrada violencia.

Giovanni levanta los brazos, mira inquisitivo y con censura a Alexander:

—Alexander, me permitiré hacer una observación: no contamos más que lo que deseamos contar, y no siempre coincide con lo más importante, con lo que cada cual lo considera como tal, ¿no es así? Reflexiona sobre tu vida, comprobarás la enorme ansiedad producida cada vez que cae en tus manos una revista, una noticia de prensa, un teletipo o fax. Observa cómo un temblor invade tus circuitos neuronales y, a no dudarlo, en la mayoría de las veces socava tu exquisita capacidad de indagación. Pero lo importante, lo nada desdeñable se encuentra en el otro extremo, me refiero al de la aparente tranquilidad de una serie de noticias, dime que ficciones y lo concedo —señala confidencial Giovanni—, es igual, entonces aparece el enigma. Pues cada uno busca lo que desea encontrar, y en este caso que nos toca se ha creado un enigma donde había una muerte anunciada por el mismo Eduard, aunque te resulte de un cinismo y una demagogia exorbitantes. Ahí está escrito —y señala al bibliotecario para desviar al instante el dedo y dirigirlo al inerte manuscrito.

—Interpretación que no responde a la pregunta

—señala serio Alexander. Giovanni hace caso omiso y prosigue:

—Bien, ¿dónde reside el valor en nuestro caso? Muy sencillo, en cómo se ofrece la noticia, he ahí la clave. Luego, quienes lo deseen pueden elegir a la carta o recurrir sin más historias al menú principal y realizar todas las variaciones posibles: incluirlo como un asesinato, un rapto demente, una depresión, un suicidio, ¡yo qué sé! La literatura acoge un inmenso catálogo de posibilidades, las mentes están copadas en las amarras de los medios de información —Giovanni observa con atención el influjo de sus palabras, sonríe forzado y añade—: no se trata de comprobar la noticia, el acontecimiento, pues lo escrito ya está impregnado de verosimilitud, de la más absoluta realidad.

Alexander hizo ademán de hablar, movió la cabeza con pesar y Giovanni ignorando el gesto prosigue despectivo:

—No es otra la consecuente solución al enigma: Eduard Verne tuvo la muerte buscada en las palabras. Quien le haya impelido o inducido al supremo acto importa ya muy poco, a lo sumo a los agentes, a la policía, pero a la historia ya no, ¿comprendes?

Con indiferencia llevó el vaso a los labios, agotó el contenido y llenó las tres copas.

—No me he inventado la historia, Alexander, nunca he tenido esa capacidad, rara en mí, lo que no es óbice para afirmar que la aventura ha desaparecido de la faz del mundo, o al menos de la tierra, si así lo deseas. He llegado a pensar, y muy seriamente, en la muerte como único escape a la angustia: Mario puede confirmarlo, también Roger Burton... Eso es lo que he querido transmitir en el artículo de *Isla*...: cuando ya no se concede el mismo valor a los actos humanos, cuando la vida no deja de ser una repetición de acontecimientos ya asimilados, rememorados y reevocados por otros la aventura pierde magia y misterio. Entonces tan sólo queda la palabra, la magia y la sensatez de la escritura aunque ésta ya esté fenecida, amortajada por otros medios y otras técnicas. Es igual.

Un instante después Giovanni rozó levemente el brazo del bibliotecario y se inclinó sobre el manuscrito. Su expresión se alteró, pasó de su habitual seguridad a una latente languidez en el habla, casi torpe. Habló con rencor y sentimiento exacerbados, rezumaba dolor interior, no ajeno a Alexander, mudo ante el silencio al que se entregó Giovanni cuando en su dejadez corporal cerró los ojos pleno de cansancio.

Se enderezó en el asiento, miró de reojo el manuscrito, pasó a la siguiente página y sonrió condescendiente al servicial bibliotecario. Luego le dio la espalda para encararse con Alexander.

Adoptando una artificiosa cadencia declama:

—«Sé, y por favor, no me preguntes por qué, que me queda la eternidad por vivir. Siento una angustia tal imposible de detener, tanto como disipar la vaga existencia de un cuerpo insólito, inescrutable.» ¿Conocéis el recitado? No te abrumaré: es de Eduard Verne, página doscientas quince de *El Viaje en una Pluma*.

—Pero tú, o mejor, vosotros, conocíais la existencia del Manuscrito, la muerte declarada de Verne...

—¿Es una acusación? —protesta Giovanni.

—Tal vez, por ahora una oportuna constatación de indefinidas consecuencias.

—Lo celebro.

—En la Biblioteca se entregan múltiples concesiones de reserva: libros ominosos, memorias confidenciales —interviene adustamente Mario—. Incluso a veces hay que soportar la burocracia oficial con sus enrevesadas normas.

—Pero cualquier ciudadano puede guardar su intimidad de autor con tan sólo estampar una firma en una póliza legal y con el mínimo trámite.

—No es éste el caso, mi querido Alex. Si te quieres embarcar en la literatura deberás recurrir a Orfeo, al barquero del Averno, o a los mnemones de la Grecia clásica, ellos conocen los trucos de los mares, las diversas singladuras, el arte de sortear la historia sin par habilidad. Ahí encontrarás la aventura, no en la realidad de un mundo tan real, ¡qué paradoja!, donde se explota la imaginación. Es otra realidad a la que apelo. Eso lo entendieron ya los grandes clásicos, incluso algunos contemporáneos. Yo la he encontrado, y no sin errar en varios intentos, en el soporte de un pueblo según tú perdido, pero vivo en la fantasía de un laberinto donde ni el pasado, tan apasionadamente expuesto por ti el otro día en la historia de Beatriz, ha logrado borrar los signos de la palabra. «Busca las palabras, escribió Verne, pero encuentra los silencios que guardan celosamente.» *«Et per hoc patet responsio ad obiecta»* —concluye Giovanni.

Capítulo 28

¿Así que usted piensa que la
utilidad fundamental de la lógi-
ca en la vida real está en que
nos permite deducir conclusio-
nes a partir de premisas viables
y en que proporciona la seguri-
dad de que las conclusiones de-
ducidas por otras personas son
correctas? ¡Ojalá fuera así!

LEWIS CARROLL

Por la mente de Alexander se agolparon imágenes del pasado, una geométrica figura donde el horizonte azul pálido del atardecer cubría la imaginación y la fantasía.

De improviso Eduard desapareció del entorno abstracto e intelectual de la verborrea de Giovanni. También desapareció el amigo, al menos su tono fue adquiriendo una extraña apariencia de serenidad, de laxitud cercana a la armónica cadencia musical entrevista por Alexander en otros momentos, en circunstancias análogas a las de esa ocasión.

—En efecto —la voz de Giovanni fue elevándose sobre un imaginario cono puntiagudo de tonos hasta inundar los oídos de Alexander—, en efecto, en las primeras entrevistas Eduard tan sólo me refirió anécdotas vulgares de dudoso valor biográfico, sin importancia, cuestiones concernientes a asuntos poco menos que epopéyicos, nada interesantes para mí, tenían resonancias clásicas, *déjà vu*, dicen los franceses, ¿no? Pero la conversación, después de todo, tenía momentos curiosos, agradables, íntimos podríamos decir. Yo conocía a Eduard, Alexander, lo conocía de hace tiempo, y bastante bien, por cierto. Es falsa esa habladuría que me relaciona con él desde la etapa de licenciado, pero es cierta, desde luego, la que me une a Eduard en el marco de las reuniones clandestinas en Amsterdam. Perdona que no pueda ser más explícito, sólo deseo informar de cómo Verne se alejó de las reglas, del respeto a los códigos establecidos, y de la rapiña intelectual a la que no pudo sustraerse.

—¿Y por qué? —preguntó Alexander.

—Yo creo, y lo pienso ahora, desde la distancia, que la ignorancia cumplió su papel, y no lo he pensado yo, ¿verdad, Mario?, otros lo han señalado y a mi juicio con certera visión. Además, tenía una cualidad fomentada en exceso por su heterodoxia: el conocimiento de los mecanismos de destrucción humanos, asumidos desde la angustia y experiencia personales.

—Es absurdo, no podríais desconocer esa capacidad de autodestrucción.

—Pero sí ignorarla, ésa es la cuestión —la voz de Giovanni resonó en la sala convincente y exculpatoria—. Quien conoce los recursos de un condenado no ignora su condición humana —añade sonriente.

—No me agrada ese tono despectivo —señala indignado Alexander—, Eduard era mordaz, incisivo, ajeno a las incursiones y actos oficiosamente simbólicos.

—Si quieres decir que no era intelectual te lo concedo. Pero a su modo, desde su particular visión del mundo, el enfrentamiento con Amsterdam estaba cantado. Simeón lo vio claro, y éste era un hombre de rápidas decisiones, nada dubitativo cuando se trataba de cortar por lo sano. Mi preciado Alexander —señala íntimo Giovanni—, nadie es interesante salvo cuando decide traspasar la oscura contradicción de su conciencia. Eduard se atrevió, confiado en su fuerza interior, a romper las reglas en otro tiempo aceptadas: los votos de silencio, por ejemplo, y llegó al enfrentamiento con el principio básico, es decir, la antigua, tradicional, y privilegiada costumbre de no difundir mediante la literatura la historia de quienes habían formado parte de ella, vale decir sus epígonos o directores espirituales. Ese hecho le puso en una disposición cercana a la expulsión, el resto ya no es novedoso. ¡Qué te voy a contar! La historia sólo la escribe quien tiene el control del poder; por una razón, es quien mejor puede manipularla.

Nuevamente Giovanni se hundió en una presumible ensoñación, pesada, agotadora para la premura de Alexander, para su inasequible impaciencia.

Entonces Alexander cree alterar el estado letárgico de Giovanni.

—No creo haber comprendido —replica pensativo—. Has señalado algunas de las contradicciones de Verne, por lo que yo sé Eduard nunca pretendió enfrentarse a las autoridades holandesas...

228

—Muy sensato, he aquí a un hombre que piensa. ¡Por Dios, Alex, no seas ingenuo! Nadie da dos pasos en este mundo, ni piensa dos palabras seguidas sin poner en cuestión otra opinión, ¿no lo entiendes? ¿Es tan difícil comprender, para tu exquisito espíritu racionalista, que *omnis determinatio est negatio*? Me decepcionas, Alex, sinceramente. Todo aquel que ha elegido debe saber los riesgos de la elección y por lo tanto la posibilidad de cargar con la responsabilidad contraída.

Luego en tono circunspecto y reprobatorio:

—A su modo Eduard era un intelectual, un vago maleante de ideas apresuradas, casi un periodista de tres al cuarto, como la mayoría. ¿Te acuerdas? De esas discusiones ya estamos hartos tú y yo, ¿eh? Además —y se incorpora feliz como si una idea maravillosa le hubiera agraciado en la lotería de su particular sinapsis cerebral—, créeme, era antipático, creído de sus ideas como si hubieran sido forjadas por un dios absoluto, hermético... —Giovanni sonríe maliciosamente— estaba creído de sus principios, un pequeño burgués dirían desde otro lenguaje, ajeno por supuesto al nuestro. Pero en fin, asistía a las reuniones, se conformaba con tomar apuntes, deliberaba de vez en cuando, hablaba muy bien de Simeón, ese intelectual heterodoxo, políglota y hermético que había asumido eclécticamente el pasado occidental y oriental, antiguo y medieval por supuesto, sin desconocer las nuevas tendencias del momento occidental pues era inteligente; todo un monje de nuestro siglo, vamos, aunque éste fuera distinto a los pasados... Eduard era distinto, desde luego, tenía otros méritos, te concedo denominarlos virtudes. En fin, si quieres un retrato fotográfico te lo esbozo en una palabra: era feo, un alma fea, antipático diría; por cierto, a Beatriz le resultaba repul-

sivo, lo que no impidió que se acostaran alguna que
otra vez, ya ves, hasta los intelectuales tienen suerte
con ella. Pero bueno, la palabra exacta sería insoportable: no hay peor hombre que el que oculta sus
debilidades, claro que la ciencia está en el modo de
ocultarlas. En suma, no tenía *charmant*.

Sonrió, por vez primera con ingenuidad, con exquisita suficiencia, hiriente para Alexander.

Capítulo 29

> *—Rey, toma este libro, pero no hagas nada con él hasta que me corten la cabeza...*
> *Pero el Rey abrió el libro y encontró que las páginas estaban pegadas las unas a las otras. Entonces introdujo un dedo en la boca, lo mojó con saliva y abrió la primera, la segunda y tercera páginas del libro...*
> *—Sabio, no hay nada escrito.*
> *El Rey giró otras páginas más... Entonces se estremeció, dio un grito y dijo:*
> *—El veneno corre a través de mí...*
>
> *1.001 noches,* noche 5.ª

Al caer la noche Alexander recibió una inesperada visita: María. Presa de gran nerviosismo había entrado directamente en la casa para acomodarse en la mesa de estudio.

—Pero María... —exclamó Alexander—, Giovanni...

—No te preocupes, no vendrá...

Sentados, incrédulo el hombre, palpitante la mujer, se observaron en silencio a la dura luz caída sobre la mesa: los papeles revueltos, el cenicero humeante, el vaso de whisky sobre el libro. Observaron, casi fotográficamente, las leves sombras de ambos matizadas por el sombreado reflejo de la contraventana.

—Oh, Alexander, debes marchar —fueron las primeras palabras de la muchacha—, ya te hice la misma advertencia hace unos días. Ahora lo confirmo si cabe con más certeza. Por favor, hazme caso.

Sacó un cigarrillo de la pitillera, lo encendió con desgana. Pareció aplacarle la ansiedad. Más tranquila prosiguió:

—En verdad yo también debería marchar. Sí, no pongas esa cara de asombro. Los acontecimientos se han precipitado. ¡Oh, Dios, qué destino! Giovanni en medio de su insatisfacción ha desencadenado una cadena de injurias y desacatos... Lo he dejado en el Matusalén con Burton y Mario...

—Y ha hecho tambalear tu ya inestable posición...

—Así es, más o menos.

—Previsible —lamenta Alexander.

—Pero no en estas circunstancias.

Alexander se acercó a la muchacha y observó su gesto angustiado. Llevó la mano a la mejilla de María, levantó su pequeña barbilla y con extrema calma requirió su atención:

—He hablado con Giovanni esta tarde, te lo iba a comunicar, pero en cualquier caso él no sospecha

232

mis intenciones. De todos modos el manuscrito está a buen recaudo...

—No seas iluso... De él te quiero hablar...

—Ahora presta atención, por favor.

—¡Destrúyelo, destrúyelo! —afirma entre sollozos María aprisionando los brazos de Alexander—. Destrúyelo aunque sea lo último que hagas en tu vida, destrúyelo... ¿Cómo he podido confiártelo?... Oh, santo cielo, a nadie se le hubiera ocurrido, Alexander, a nadie. Es tu sentencia, ¿no lo comprendes? ¿Es que no sabes quién es Giovanni? ¿No lo sabes? ¿Sois amigos?

—María... María... escúchame...

—Me habló de vuestra entrevista, me la contó. Estaba enfurecido. Nunca lo había visto tan alterado desde lo de Eduard...

—Mi estado de ánimo tampoco es que sea una delicia —señaló desdeñoso Alexander.

—Está claro que desconoces a Giovanni —un halo de fatiga cubrió su frente.

—¡Ah, Giovanni! ¡Al diablo con Giovanni! —exclama furioso Alexander.

—¿Y si Giovanni es Rabbi Simeón, Alexander? —señala con voz seca y hueca María levantando la cabeza, mirando con fijeza a los ojos del hombre—. ¿Eh, si yo te digo, te juro, que fue él quien se deshizo de Eduard?

—¿Qué dices? Estás delirando... —protesta el hombre.

—¿Hablaste con Giovanni?

—No, desde luego, no hablé, pero no puede ser, Eduard conocía a Rabbi Simeón... nunca hubiera caído en esa trampa. Es absurdo.

—Reflexiona —dice con pesar pero con tranquilidad—, reflexiona por un instante y luego me das el veredicto: supongamos que Rabbi Simeón sólo exis-

233

te en el papel, que es una simple palabra sin nada detrás, *flatus vocis* diría un medievalista. En consecuencia Giovanni se entrevista con Eduard, él se encarga de esa tarea al poco que se ve presionado por los holandeses. Con la minuciosidad que le caracteriza encomienda la redacción del manuscrito a alguien de confianza y el último acto de la mascarada queda listo para los anales de sabe Dios qué historia. ¿Qué te parece? —enfurecida, María dirige una mirada de soslayo a Alexander. Con tono de impotencia añade—: Creó la ficción para deshacerse de Eduard, para cubrirse las espaldas ante una presumible y desde luego nada descabellada indagación.

—Estás delirando. ¿Insinúas que fue un sueño, que me he creído una ficción? ¿Como Montgu, como Wells, como Eduard incluso? No, no es posible, no hay delirio sin intencionalidad.

—¿Acaso deliró Eduard cuando se enamoró de Beatriz y fue rechazado? ¿Acaso puedes creer en las palabras del manuscrito tal como han sido enunciadas, sin contrastarlas? Oh, Alexander, crees que deben reflejar siempre la realidad que tú quieras. ¡Qué ciego eres con las palabras!

—¿Qué dices? ¿Qué dices? —Alexander se levantó del asiento impulsado por un resorte—. Ah, qué torpe he sido...

—Alexander, por favor, aunque viviéramos diez mil años nunca serían suficientes para que entendieras estos diez de separación.

Alexander observa atónito la declaración de María, la muchacha añade con voz áspera:

—Te has enfrentado a él y eso es suficiente; por lo demás, qué se sabe de Rabbi Simeón. ¿Y si murió hace tiempo, ocho o nueve años, pongamos por caso? Es igual, tanto si se juega con una o con otra conjetura Giovanni lo tenía todo calculado, como

234

puedes comprobar si husmeas un poco; y el exilio de Eduard fue la clave: rotos los antiguos contactos, Eduard se volvió un solitario intelectual que navegaba en el más inhóspito de los desiertos, crear un laberinto para él fue un juego de niños.

—Hasta que aparecí yo.

—En efecto, pero no te fíes de Giovanni, él no sellará contigo ningún pacto de silencio. Hasta que no descubriste el manuscrito la historia había navegado tranquila cumpliendo su fatal designio de borrar la realidad. Sin embargo al caer en tus manos peligra el destino de su artística creación arquitectónica: conoces la mente de quien ha sido el artífice de tamaña ficción, y ese hecho es suficiente para que las máscaras descubran a los verdaderos personajes. Nunca debiste haber metido ese maldito texto en el ordenador, Alexander, nunca.

—O sea que hemos sido pacientes espectadores de una maestra *mise en scène*.

—Tal vez.

—¿Es una sospecha nada más?

—Por ahora, lamentablemente sólo es una sospecha... mañana lo sabremos.

—Lamentablemente.

El paseo circular del hombre por el estudio se prolongó durante unos minutos, la muchacha no recuerda cuánto, sólo el lento, monótono y repetitivo taconeo la llevó a protestar: «Para, por favor».

—Creo que Giovanni actuó por razones mayores de las cuales simplemente no pueden pensarse —Alexander habló en voz alta, pensativo, para sí, rumiando ideas—, la explicación debe de encontrarse en otro terreno, más atrás, más en el pasado, oculto...

—Puede, puede, pero piensa rápido...

—Es posible, es posible —continúa abstraído

235

Alexander—, puede que todo sea debido a una funesta coincidencia, a una argucia del destino, fatal, desde luego...

María se levanta, le dirige una mirada de manifiesta incredulidad y se apoya en el respaldo de la silla.

Alexander, en un arranque de inesperada y luminosa inspiración, despliega sobre la mesa la carpeta de notas, elige unas cuartillas, las lee apresuradamente y las pone delante de la muchacha. «Lee ahí», dice con seguridad.

Sobre la mesa extendió el resultado de la operación encargada al ordenador. En papel perforado las comparaciones figuraban impresas con un encabezamiento que a María le produjo un fugaz y raro sentimiento de inquietud:

BORRADOR: «MANUSCRITO DE MARÍA»
Orden: Permutación de Nombres

Hoja n.º 1:

Permuta de Rabbi Simeón por Giovanni:

«**Eduard** escucha su propia voz fija en la nuca del maestro recitándole el texto gnóstico de Nag Hammadi: "Te daré lo que ningún ojo ha visto, lo que ninguna mano ha tocado...". **Giovanni** mueve la cabeza, sus ojos se detienen en los de **Eduard**. Alterado, se lanza hacia atrás, exten-

Permuta de Eduard Verne por Alexander:

«**Alexander** escucha su propia voz fija en la nuca del maestro recitándole el texto gnóstico de Nag Hammadi: "Te daré lo que ningún ojo ha visto, lo que ninguna mano ha tocado...". **Simeón** mueve la cabeza, sus ojos se detienen en los de **Alexander**. Alterado, se lanza hacia atrás, ex-

236

didos los brazos abarcando la sala para exclamar antes de que **Eduard** finalice su oratoria: "¿Qué dices, qué dices, cómo te atreves? *Fulmine divino intereat ipse*".» «Y a partir de ese instante algo se rompió entre las dos miradas. **Eduard** asió con terror el abrigo de **Giovanni**, buscó en él la forma física de aplacar el dolor, la angustia producida por la maldición. *"Fulmine divino, fulmine divino, fulmine divino"* repite **Eduard**.»

«Bruscamente —prosiguió **Eduard**— otra voz se lanzó detrás de mí, a las espaldas, casi sin despertar la consciencia de mis actos, actuando sobre esa parte del cerebro donde se forman las ideas, donde la memoria lanza los dardos de los proyectos, guía a la voluntad, señala el horizonte. Y se rompieron las cadenas de la prohibición, **Giovanni**, se quebrantaron las disposiciones y las normas, pues una palabra, sagrada para mí, iba adquiriendo forma y color, vida y sentido; una palabra que, por vez primera se construía para mí, se creaba por mi propia voluntad. *In ipso vita erat*.»

tendidos los brazos abarcando la sala para exclamar antes de que **Alexander** finalice su oratoria: "¿Qué dices, qué dices, cómo te atreves? *Fulmine divino intereat ipse*".» «Y a partir de ese instante algo se rompió entre las dos miradas. **Alexander** asió con terror el abrigo de **Simeón**, buscó en él la forma física de aplacar el dolor, la angustia producida por la maldición. *"Fulmine divino, fulmine divino, fulmine divino"*, repite **Alexander**.»

«Bruscamente —prosiguió **Alexander**— otra voz se lanzó detrás de mí, a las espaldas, casi sin despertar la consciencia de mis actos, actuando sobre esa parte del cerebro donde se forman las ideas, donde la memoria lanza los dardos de los proyectos, guía a la voluntad, señala el horizonte. Y se rompieron las cadenas de la prohibición, **Simeón**, se quebrantaron las disposiciones y las normas, pues una palabra, sagrada para mí, iba adquiriendo forma y color, vida y sentido; una palabra que, por vez primera se construía para mí, se creaba por mi propia voluntad. *In ipso vita erat*.»

«Así es, **Giovanni,** he luchado durante el tiempo eterno de mi éxodo. Lo sabes, o lo sabías: *non sum eloquens ab heri et nudiustertius,* pero tú me tendiste la mano, al igual que Yahve a Moisés, como el señor al siervo, aun olvidando que hablabas *ad servum tum* y que *impeditioris et tardioris linguae sum.* No lo he olvidado».

«Así es, **Simeón**, he luchado durante el tiempo eterno de mi éxodo. Lo sabes, o lo sabías: *non sum eloquens ab heri et nudiustertius,* pero tú me tendiste la mano, al igual que Yahve a Moisés, como el señor al siervo, aun olvidando que hablabas *ad servum tum* y que *impeditioris et tardioris linguae sum.* No lo he olvidado.»

Hoja n.º 2

«Es necesario que desaparezcas —anuncia desde la nuca la voz de **Giovanni** que en los oídos de **Eduard** suena como un eco—, que la muerte se instale en tu cuerpo para que el pasado, despreciado hasta el agotamiento con tu altiva presencia, también desaparezca, para que de ese modo el porvenir llene el vacío dejado por tu figura. ¿No lo comprendes, **Eduard**? Es a una ley más férrea que cualquiera de las conocidas, a una norma más antigua que nuestras vidas a la que apelo y en la que me apoyo para guiar y justificar mi decisión, ¿comprendes?».

Permuta de Eduard Verne por Alexander y de Simeón por Giovanni:
«Es necesario que desaparezcas —anuncia desde la nuca la voz de **Giovanni** que en los oídos de **Alexander** suena como un eco—, que la muerte se instale en tu cuerpo para que el pasado, despreciado hasta el agotamiento con tu altiva presencia, también desaparezca, para que de ese modo el porvenir llene el vacío dejado por tu figura. ¿No lo comprendes, **Alexander**? Es a una ley más férrea que cualquiera de las conocidas, a una norma más antigua que nuestras vidas a la que apelo y en la que me apoyo para guiar y justificar mi decisión, ¿comprendes?»

Alejandro leyó con rapidez las dobles columnas, su vista bailaba de izquierda a derecha. Cuando llegó al final, pálido y preso de terror, se cubrió el rostro con las manos y se levantó eufórico de la mesa. Pudo observar entonces, desde el centro de la sala, e inscrito en el papel perforado del ordenador, la permuta de nombres, el satánico descubrimiento.

—Oh, Dios, Alexander, ¿qué has hecho? —exclamó María hipnotizada por las columnas.

Fueron sus únicas palabras antes de marchar dejando en la mirada de Alexander un gesto de indecisión, de elección ya conocida a la presumible interrogante del hombre: «Marcha, huye de M...»

Capítulo 30

No puedo acostumbrarme a tanta luz.
Me hace daño, me parece como si estuviese desnuda.
Como si ningún vestido fuera suficientemente tupido.

Hebbel, *Nibelungos*

Al dar por finalizada la visita de María, Alexander fue prisionero de fuerzas potentes y extrañas durante una indefinida noche, atenazado en el túnel de una trama, argumento, o desenlace —«¡Sabe Dios cómo llamarlo!»— no por intricado y sinuoso menos angustioso para quien se considera protagonista y por tanto padecía su influjo.

Entrevió, entre las múltiples opiniones vertidas por Giovanni, incluso por María, un simulacro, un juego morboso y trágico hasta entonces desconocido en quien había sido depositario de su confianza desde hace años.

Por unos instantes creyó haber encontrado la clave del comportamiento del amigo, pero tan sólo lo entrevió, como una ventana abierta al arbitrio de la inclemencia del tiempo, y que al poco se cierra de golpe. Fue un instante, un precioso instante en la oscuridad de la noche. Apretó contra sí los puños, se aisló en la negrura del Mediterráneo pero ninguna idea se dejó conocer. Quedó entonces solo, encerrado en las grietas de la mente sin medida ni control, sólo presente en él, medible en su inasible paradoja para quien desde la urgencia de su necesidad pedía clemencia a un mundo sospechadamente iluminado por la sinrazón.

Pues la sospecha había llegado a alcanzar, durante los últimos días, tales proporciones en la mente de Alexander que se encontraba sumido en la más absurda, a su juicio, inestabilidad emocional e intelectual hasta ese presente acontecida durante los últimos años.

Se quitó los zapatos, desplegó en la mesa las notas recogidas discretamente en la entrevista, colocó sobre el frontal el manuscrito de María. Mientras se desprendía de la ropa y se acomodaba mantuvo con insistencia la distancia frente a esos objetos, papeles, libros, palabras. «Sobre todo palabras», pensó con profundo enojo, «y ese hondo silencio emanado discreta pero persistentemente de la fugaz presencia humana». Lo había advertido en Giovanni, hacía pocas horas, pero no era ajeno ni extensivo a María, compendio natural, pensó para sí con desagrado, del más profundo de los equívocos.

Y sin embargo la memoria persistente salta desde el arcón de los años —escribe Alexander en el cuaderno—, *aguarda al final del día, forma una serie de ecos y voces desiguales palpitantes desde el papel. Y un buen día la conciencia dicta sus decisiones: las palabras salen de la pluma débiles, palpitantes, temblorosas, sin afirmar aún su ser, como ahora, cuando escribo al amanecer rodeado de cosas (palabras en palabras abrazadas a palabras), sólo cuando alcancen precisión demostrarán su importancia. Van a hablar, estoy seguro de ello, es la ley infranqueable de la literatura, van a hablar —ya están hablando—, de María, de Simeón, de Giovanni; en suma, de los otros, de la realidad; ellas son reales y su destino se encaja entre los dedos a su merced; a fin de cuentas van dirigidas a alguien, a convencer desde la distancia, desde la igualdad. Y sobre todo van a afirmar su misterio una vez más, como cada madrugada, nombrando a lo que existe, si no es que esa existencia supone ya su propio nombre.*

Van a hablar de destrucción, ¿por qué no?, no puede ser de otro modo cuando la humanidad está construida de modo indisoluble con lo que «naturalmente» se denomina naturaleza. «Así es, así será, si así os parece», decía Giovanni. Es la destrucción, la tendencia interna de todo aquello creado ex nihilo, *de todo lo que subyace a las entrañas más profundas del organismo, un enorme y angosto dragón deglutiendo no tan sólo lo que rodea su inestimable entorno sino devorándose a sí mismo, un dragón horadando con parsimonia el lecho de los ríos, destruyendo el cauce de su senda; sólo ese tiempo, medido en millones de años, puede dar tranquilidad a las sucesivas generaciones; ajenas, por lo demás, a la temporalidad de un Universo desconocido en sus más íntimas entrañas para el hombre.*

Pero en ese vaivén de tránsitos por la memoria de

distintos tiempos, tamizados de encuentros y búsquedas, la pluma hace un alto en el camino, descansa en su labor incursora por el fondo de la conciencia, inmersa en una tarea que en cualquier instante puede interrumpirse, cambiar de rumbo, retroceder. Ha paralizado, momentáneamente supongo, sus movimientos sobre el blanco papel; entretanto ha cerrado los ojos a la luz del amanecer, las nubes rosadas del horizonte se reflejan persistentes en la parte alta de la cabeza, el río de la memoria se agolpa en el presente y lentamente forma la historia o centros de encrucijadas, objetos, personajes saliendo de baúles encarnando a héroes ocultos entre cortinajes y telarañas como en el relato de Giovanni... Algunos son rechazados con delicadeza, discriminados benévolamente, retirados a su oscuro recinto; tiempo tendrán en otro instante, en otro venidero momento, de aparecer, tal vez de un modo repentino, para dejar su impronta. Entretanto la mente ha recogido el púrpura y el rojo del crepúsculo y entre vaivenes de colores reflexiona acerca del presente, del mío, de este instante, acuciado por la necesidad de explicar el camino indicado, ya señalado, o mejor aún, el que ya se ha decidido encauzar.

Camino a recorrer solo y acompañado, es inevitable, camino de encuentros con los otros, con el sabor amargo, a veces, de las palabras señalando la ruta; sendas nunca escritas, diseminadas en los múltiples estados de conciencia.

Y sin embargo la duda también se encaja entre los cortinajes del pensamiento: Giovanni, Simeón, María..., Beatriz... han invadido durante estos días el espacio del ser, en ellos se encuentra un mundo no tan ajeno al mío, creo, pero extraño, aunque no tan alejado tal vez de mis intenciones como pueda estarlo el ángulo más agudo de un triángulo rectángulo de los demás, por más inabarcable que sea.

243

Ahora entiendo —recuerdo a María y su conversa-
ción sobre el laberinto—, entiendo su postura, el miedo
profundo a desentrañar su vida, siquiera a interpretar
con sus propios medios su protagonismo, impuesto, a
la postre inexcusable, desconociendo, desde la incons-
ciencia natural de su acción, que creaba la historia a
recordar un lejano día. Yo le diría, con mis palabras,
que había recorrido el laberinto —la senda paradóji-
ca— y sin embargo desconocía su posición en ella.
Se camina, en verdad, o tal vez se sigan los pasos de
quien lleva un rumbo distinto. ¿Por qué no?

Ésta es noche distinta, ajena y extraña, camino de
piedras, calles habitadas por las sombras, por cuerpos,
guías imaginarios a la espera de nada, de nadie, de un
cuerpo insólito, de una sombra sin porvenir, de un
sueño de la razón falto de lógica...
Es cierto, comentaba Giovanni hace años, en uno
de esos vaivenes se puede encontrar el roce con esas
fábulas creadas por la imaginación: las sombras; pue-
de creerse, no sé si con fiabilidad, que se pueden amar,
aunque tal vez desaparecen apenas se presenta la in-
tención de abrazarlas. Es la casualidad la que, por su-
puesto, inquieta el corazón, lo apacigua y en instantes
delicados ensombrece los recuerdos.
Pero Giovanni ha cambiado, ésta es la seguridad
que empaña de dolor el recuerdo del amigo: su historia
ya no me pertenece, no me produce bostezo como él
puede creer, más bien su aliada, la especulación, puede
ofrecer algunas luces, aun creyendo con firmeza en
unos principios ajenos a él. Pues la historia, o mejor,
la función del historiador es la lucha contra el tiempo,
hacer resplandecer la memoria, al modo como los anti-
guos griegos cumplían con su pasado: resguardar, pre-

244

*servar el tiempo de los designios maléficos del olvido;
Giovanni se erigiría —y a él no le disgustaría el apela-
tivo— como un* mnemon, *como el guardián, en su
caso, de los hechos pasados, no tanto de los humanos
como de los divinos, también, por supuesto, de lo sa-
grado, de lo considerado como trascendente al propio
curso de los hechos terrenales. Sería —y la palabra le
encantaría— el bibliotecario de la oralidad más impenetrable.*

*Ya no hay tiempo; Eduard ha cumplido su función,
descansará en las tinieblas de la historia, no en verdad
en las de la Biblioteca, él que había leído en ella las
claves de una historia ajena, ha caído en el influjo del
magnetismo de la página. Y sin embargo, ahora, cuando la pluma se desliza casi sin odio, casi sin necesidad, la profecía de Giovanni, aun transmitida con
hilaridad y resentimiento me parece de una potencia inmensa: la palabra seguirá otro curso, otro camino —curiosamente otra senda en mi jerga—, apare-
cerá otra galaxia, en suma, otros modos de entrever
un lenguaje de expresión distinto, ajeno a la escritura.*

*Detengo la mano sobre el papel, un breve rayo de luz
colorea los cristales y difumina la frontera del horizonte, el aire de la tarde ha refrescado, la gente parece correr más deprisa y con muecas de desagrado, como si
un motivo extraño para mí, más perentorio en ellos, les
azuzase a alcanzar algo inaplazable. Desconociendo
ese fin observo en el cielo las nubes negras, redondas,
bordeadas de un fileteado rojo y gris anunciando el
crepúsculo, planean cual enormes e hinchadas aves a
la búsqueda del sur. Cierro los ojos y la mano ya se
separa definitivamente del papel. Beatriz queda lejos,*

muy lejos pero cerca, en la imaginación, sobre esos hombres y esas nubes, tal vez persiguiendo el rumbo de las aves, tal vez no. Es igual: la búsqueda de las palabras es bien distinta de la que se encuentra en esas sombras del atardecer, entrelazadas inexplicablemente en los pensamientos. O al menos, en las humanas sombras yo desconozco sus motivos tanto como ellos los míos.

Y pronto, sin un atisbo de aviso, la borrosa imagen de Beatriz surge impresionada en alguna parte del cerebro, inabarcable, infinita e inasible... Una música cercana disipa la imaginación para descubrir más allá de la ventana, al otro lado de la calle, a la muchacha que, puntual, toma lecciones de piano. La mano oprime la pluma, mas no pienso en nada, los recuerdos se evaporan en el silencio, son sustituidos por otros, más inasibles si cabe que los primeros, pronto dejarán en el cuarto la cadena de hilos trenzados por el tiempo... No pienso... salvo en ese árbol al fondo de la avenida, copia amarga del que velaba las tardes de los juegos infantiles allá en mi pueblo natal: árbol, presencia inmóvil, a distancia de la conciencia, ser inerme, de lenta y vital existencia, perezosa y encandilada figura al amanecer y al anochecer, que progresa y ensancha sus raíces en el tiempo de la tierra; en otro instante, ya lejano, tan sólo unos días, era insensible a la mirada; ahora, sin embargo, su imagen deglute y rechaza a la par una desgarrada conciencia.

Y lenta, lentamente, las ramas en su movimiento hipnotizan el inmóvil rostro al pensar en ellas.

Y en la ensoñación los bichos asquerosos de la medianoche se presentan, fieles a sí mismos ahora, al caer la tarde, en el dominio territorial de ellas. Beatriz se acerca apartándolas, me da una palmada en el hombro y me ofrece el bello roce de sus labios. «¿Qué escribes?», pregunta. «No recuerdo, llevo sin escribir mucho tiempo», respondo espontáneamente sin apartar mi mirada de ellas, «serán palabras prestadas por alguien, por ti, es posible, yo las releo, es decir, paseo la vista por sus líneas, llevo un orden, por supuesto, y sus signos, por qué no, me dicen algo, incluso algunos hablan de mí, eso es —sonrío con ingenua malicia—. Al día siguiente, por ejemplo ayer, sus páginas me parecieron distintas, me ofrecían misterio, palpitaban creídas de ellas mismas, ajenas a mí. Entonces, hoy sin ir más lejos, las volví a leer, a releer, eso es, y descubrí que en algunas ocasiones eras tú quien a través de sus signos y, por alambicados caminos, me ofrecías alguna respuesta, yo creo que tan sólo fui un intermediario..., ¿me comprendes?». No la veo, pero sonríe detrás de mí y señala al rayo de luz caído en el horizonte de cristal: «Creo que sí comprendo, claro, también a mí me sucede algunas veces». Y su segundo beso recorre la nuca y la visión de las páginas se desvanece en el frío atardecer.

Se cierran los ojos, parece que el cansancio permitirá aplacar los gritos de la conciencia... Cuando despierte las palabras estarán ahí, fijadas como fotografías señalando una ruta, tal vez un día nuevo amanezca, una nueva figura surque las páginas, acechante, al canto dulce y seductor de sus signos. Sólo habrá que esperar.

Aunque a veces pienso si su destino no será sino el de no ser leídas, el de aguardar a ese tiempo donde ya no sea necesaria su presencia... No sé, es una intuición, acaso un banal deseo, un fulgurante cansancio producto de esa mueca interior, horrible, palpitante, que me invade desde la desaparición de Eduard, desde la impostura de Giovanni, o la imagen de Beatriz: historias de historias unidas por la Historia, repetida ya por otras a cuál de ellas más verdadera, o mejor, más ficticia; es igual.

¿Cómo pude escribir, con sin par atrevimiento: «no creo ni en María, ni en Giovanni, ni en Simeón, apenas nombres en la inhóspita pléyade de un diccionario imaginario, ni creo haber llegado a conocer siquiera uno solo de sus deseos o proyectos»? Reconozco, a lo sumo, haber entrevisto la baba impregnante de sus voces depositada en un diálogo que deseó abrazar las palabras de sus bocas. Sin embargo sus deseos no difieren de los míos, a lo sumo los de ellos se adelantaron en el tiempo, nada más. En verdad las diferencias son tan sólo de tono, de ridículo, por mínimo, matiz: en el límite, si todos somos iguales, si en cada apuesta ponemos la totalidad del ser en tela de juicio, el fracaso no hace más que acelerar la funesta paradoja de la existencia. Nadie garantiza la salida del laberinto.

Es el final, pues: de María apenas hay un murmullo en el Mediterráneo, una deshecha figura deslumbrante al sol del amanecer, anuncio sabe Dios de qué promesas. No estaré en el andén. No habrá despedida. Inexistente ahora en el fulgurante atardecer, la memoria inabarcable de la muchacha es una deslabazada nube vigilante sobre M... Tal vez como Beatriz, recuerdo perdido, angustioso y mudo cuando en el camino hacia el Faro de Punta Daga siento en las venas la material mueca del fracaso ante la apuesta de extraer de las conciencias aquello que más deseaba.

Es igual, ese camino, por trazado, sólo será realizado en parte. Ya es suficiente. Giovanni vigilará desde su torre de marfil la pérdida de los años, su tiempo apenas es muy distinto del mío, del de tantos otros, incluso del de Eduard, lúcido escribiente que pagó con la vida la apuesta macabra de erigirse protagonista en el juego de cartas marcadas.

248

Y María es como una parodia imaginaria, producto cruento de un deseo superior, de un artífice o demiurgo encargado de deshilvanar los datos, aislar cada parte de las otras, producir o destruir otros, anular lo evidente, crear la confusión. Un discurso partido, una radical forma de sustraer y destruir el pensamiento nacido de la mente. De una mente, tal como sería la de Eduard Verne.

Más aún: abruma la extraviada mirada de María, abstracta como esas palabras que no designan nada, ni a nadie, o nada tangible y material. Como Dios, palabra fatídica y enigmática, inabarcable enseña de quienes desaparecen en la noche sin atisbo de volver para reconocer el camino.

Capítulo 31

> O se nell'occulto d'un sovru-
> mano alfabeto l'Omega di tene-
> bre in cui precipito fosse l'Alfa
> d'una eterna luce?
>
> Gesualdo Bufalino, *La menzogne della notte*

Había un rumor de estrellas y de luna en el llano. Alexander bajó la ventanilla y dejó entrar el aire fresco, el olor a noche, a silencio recogido, a tierra empapada de final de verano. A lo lejos las luces amarillas y blancas parpadeaban caprichosas, suge-rentes e hipnóticas, guiñaban los ojos cual seres vi-gilantes de la noche; en el margen del río sinuosas luces rojas dejaban su estela en el curso del valle, lo serpenteaban y se perdían en las montañas.

En verdad todo era un rumor: la voz de María al despedirse entre los bloques de casas, el silencio de Giovanni cuando Alexander le entregó el manus-crito, las múltiples voces de teléfono, inescruta-

250

bles e ininteligibles al paso del tiempo. Cuando llegó al llano la luna se descubrió vigilante, expectante, atrevida, provocadora, igual a otras ocasiones. Como la primera vez, como una mente silenciosa, solitaria y vulnerable. Como una palabra, como la suya.

Alexander se llevó las manos al rostro. No la vio, se hundió en la noche urgido por la repentina decisión de encerrar en su cerebro un único deseo: atravesar el valle y caer en el olvido. ¡Qué extraños sentimientos y afecciones pasaron entonces por la mente mientras recorría el paisaje! Hacía meses, años quizás, que no había repetido tal sensación, tal cúmulo de emociones. Y ahora, cuando tenía una meta, un proyecto, no encontraba en la naturaleza una razón suficiente para movilizar sus fuerzas y entusiasmar el ánimo en el empeño de descubrir con su presencia una razón.

Y llegó la noche sobre M... *Y la noche oscura cubrió sus ojos.* Sobre el valle se elevó la espiral del tiempo, se adormecieron las conciencias. Desde el alto de Merne, Alexander observó las luces de la ciudad, vigilantes eternas de sueños. Las sombras le acogieron con tenue fragilidad, con tímida consideración mientras se encaminaba hacia el puerto con la luna en el cenit.

Aún recordaba la dirección y sus pasos le guiaron fielmente, sin vacilar, hacia el muelle. Lejos, un perro ladraba intermitentemente; la brisa corría ligera entre los cruces de calles y árboles, un manto de aventura fría le atravesó el cuerpo. Aceleró el paso, como si fuera a llegar tarde a una importante cita, aparentando seguridad, firmeza, agilidad.

Pero es la noche, y su visita al puerto es una decisión contingente, tal vez como la de Eduard Verne: podía haber dirigido sus pasos al aeropuerto, o a la

251

central de autobuses, o a la terminal de ferrocarriles, y sin embargo esos pasos le llevaron a otro lugar, eligieron un camino de piedras enlosadas y gastadas, cinceladas por el tiempo, erosionadas por otros pasos, impregnadas de salitre.

Su sombra se instaló ante el muro de atraque, lejos de la Terminal y de la mujer también alejada de él. Y cuando el silbido rasgó el tiempo del andén y el tren inició su marcha, María asomó tímidamente el rostro por la ventanilla. Hubo un esbozo de sonrisa, una búsqueda de miradas cuando desde la dársena escuchó el silbido en una distancia rota en mil pedazos por la velocidad de los pensamientos. Ella dirigió su mirada hacia el encuentro de Alexander, y cuando fue consciente de que el tren se alejaba las lágrimas se agolparon amargas y con ira en los ojos. Entonces su mano se elevó, lejana, hacia las sombras del andén. Un punto borroso en el límite del horizonte fue acercándose hacia el túnel, aunque tal vez fuese la intermitente luz del furgón de cola la que llevaba a la muchacha el presagio de la figura ausente en la celda de su imaginación.

Cuando la visión del andén envuelto en la niebla desapareció el silencio volvió sereno, dulce, a la conciencia.

Y cuando el horizonte envolvió al tren hubo un último silbido, Alexander se levantó, se dirigió al muelle. Algo en su interior se había roto, había muerto, algo cuyo impulso fue incapaz de controlar; tal vez el sentimiento de ruptura con el pasado, deseado en ocasiones, pero irrecuperable, lanzado a una velocidad cuyo mecanismo ya no respondía al deseo o a la voluntad de aminorar y dominar.

Esperó a la luna: saldría por el nordeste, sobre el faro, sobre Punta Daga, y recordaría la imagen de

252

María y sus leyendas acerca de los acantilados, a medias entre la verdad y la ficción. La muerte de Eduard Verne pronto será también una leyenda; bocas en bocas reconstruirán su propia vida, las palabras edificarán una historia tal vez tan real como la de Eduard, o como la de Beatriz, o tal vez como la de María.

Camina. Su sombra reproduce en la noche otros pasos, otros caminos, todos ellos dirigidos al muelle, a la dársena. El Faro de Punta Daga lanza sus destellos a la noche del mar. Observó el muro de atraque. Una sombra se deslizó cercana entre los árboles iluminados por la luna, vigilante, acechante, escrutadora en sus movimientos. El cuerpo de Alexander gira hacia ella, tiembla al viento en la soledad de los árboles confundida entre otras sombras, reflejadas en el mar de acero, cuerpos móviles en la niebla mecidos por el murmullo del mar. Alexander levanta el brazo, siente el peso martilleante y frío de la memoria. La sombra parece girar el pesado cuerpo en extraño vaivén no programado; retrocede con un movimiento imperceptible, y apenas roza el muro enmienda veloz su dirección, su andar breve de gestos violentos. Esboza un tímido saludo, sin distinguir sus facciones ni conocerla; era sombra, como la de él ante ella, jugando a discernir entre la bruma y los grises de las ramas el embarrado camino. Sombras, sombras, sombras en el porvenir, como María, como él, como ella sobre todo, envuelta en su blusa de saco, cobijada en un vagón lanzada a una ruta desconocida. «Nos encontramos —pueden pensar—, nos amamos, nos separamos, nadie sabe por qué ni cómo, nadie sabe nada del tiempo que une y separa, que arrastra y cubre el amor y el odio, la alegría y el dolor.»

Algo se mueve en la estepa de niebla, en el llano querido: una impresión material de espesor viscoso, de olor a vacío entre los árboles, un indefinible sopor hunde a Alexander y al pueblo en un hongo voraz, voluptuoso, carnoso, impresión que aleja la aventura de su mirada. Nadie sabe nada de la muerte en la estepa más allá del acantilado, en el interior de tierras roturadas por el viento. «Y al final —piensa y palpita la conciencia de Alexander— nos encontramos como árboles cobijados en la fina niebla, respirando su humedad, su existencia contingente, el sueño de las posibles huellas de otros seres.»

«Has escrito, le decía María, eso te ha preservado, es posible, de caer en la locura de los demás.»

Pero ella es imposible de alcanzar, es como querer tocar un sonido, o buscar en el pasado una razón que justifique el presente; en el límite es intocable, está en la justa distancia para quebrar la mirada.

Cuando se alejó del acantilado, el mar desapareció de la lejanía, Alexander contempló la estepa y pensó en la muchacha, en cuya mirada había creído descubrir el misterio del tiempo, la eternidad de la belleza, y acaso, acaso, un indefinible amor.

Este libro se acabó de imprimir
en Limpergraf, S.A., Ripollet del Vallès (Barcelona)
en el mes de febrero de 1991